LA QUESTION PALESTINIENNE

Yasser ARAFAT

La question palestinienne

Entretiens avec
Nadia Benjelloun-Ollivier

Fayard

A Nicole,
A Odile,
qui, si le destin n'avait pas été aussi cruel en ce début d'année 1991, auraient eu la joie de voir naître ce livre.

A mon père.

INTRODUCTION

Le temps des leaders

La question palestinienne a d'abord été pour moi un sujet d'étude. J'y ai consacré une thèse de science politique, publiée en 1984[1]. Je m'y suis attachée à analyser les stratégies des acteurs, leur affrontement à la force des choses, dans une situation sans équivalent dans le siècle. J'ai tenu à le faire sans complaisance et sans passion.

Un conflit de plus de quarante ans mérite que l'on aille au fond des choses, et l'on ne va pas au fond des choses l'esprit lesté de préjugés, de fantasmes et de slogans.

Cela m'a conduite à privilégier les faits, leur mise en perspective, leur implacable enchaînement par rapport aux discours et aux sentiments, et à passer plus de temps à ma table de travail

1. *La Palestine. un enjeu, des stratégies, un destin*, Presses de la Fondation Nationale des Sciences Politiques.

que dans les antichambres, ou même sur le « terrain ».

Je crois avoir donné une analyse exacte, hélas, notamment en ce qui concerne la durée des impasses dans lesquelles avaient et ont stagné, depuis lors, les initiatives de paix. Elle mériterait certainement une mise à jour, mais les événements de ces sept dernières années ne l'ont pas remise en cause.

J'y renvoie ceux qui voudraient savoir précisément « d'où je parle », au moment d'interviewer Yasser Arafat.

J'indique simplement que, d'un point de vue moral, je pense que rien n'excuse le terrorisme des uns, ni la politique de force des autres. Lorsque sont frappés des innocents — et beaucoup ont été frappés —, peu importe que la bombe soit « délivrée » par un avion ou un porteur de valises, que leur chair soit trouée par les balles d'une armée d'occupation ou le couteau d'un insurgé.

J'ajoute que je me suis efforcée de démontrer, en outre, l'absurdité politique de telles actions.

Ma conviction a toujours été et demeure que ce conflit se règlera par la négociation, sur la base des résolutions du Conseil de Sécurité, du droit des Palestiniens à disposer d'un État souverain et de celui d'Israël à vivre dans des frontières sûres et reconnues.

C'est, de longue date, et par-delà les alternances politiques, la position de la France. C'est la voie tant du bon droit que du bon sens.

C'est peut-être devenu aussi la voie du possible.

Longtemps, l'exaspération des passions, l'attitude des grandes puissances, l'enchaînement des violences ont rendu une négociation inconcevable, et les plans de paix ont achoppé sur la conjonction des intransigeances des uns et des atermoiements des autres.

Voilà qui a peut-être changé.

L'évolution de l'URSS et de l'Europe de l'Est donne aux États-Unis l'occasion de voir le monde autrement qu'à travers le prisme déformant de la théorie des dominos selon laquelle il ne pouvait y avoir, au Moyen-Orient, que des alliés ou des adversaires.

Celle de la région a fait litière du mythe d'un « monde arabe » uni contre Israël. L'Égypte a, de longue date, traité pour son compte. La Syrie a agi pour le sien au Liban. L'Irak, enfin, avec fracas, s'est engagé dans l'aventure que l'on sait, et plusieurs nations arabes l'ont combattu.

Sur place, l'*Intifada* a porté à l'intérieur l'empoignade israélo-palestinienne, et démontré chaque semaine que seule une négociation pourra interrompre l'enchaînement de l'insurrection et de la répression.

De l'ouragan du Golfe, le monde sort avec la préoccupation de régler aussi les autres questions régionales.

Cela ne durera pas toujours.

Il s'agit là de fenêtres qui s'entrouvrent, mais peuvent être promptement refermées par le vent de l'Histoire.

Nul ne peut prédire ce que sera l'URSS demain et si, du chaos dans lequel elle s'enfonce, elle sortira démocratique ou sous la botte de ce qui demeure l'une des deux plus grandes armées du monde.

Le monde arabe, en maints endroits, est sujet à la dérive « islamiste » qui peut le conduire, vis-à-vis de l'Occident et vis-à-vis d'Israël, aux attitudes les plus radicales.

En Israël et dans les Territoires occupés, les ferments du jusqu'au-boutisme sont également à l'œuvre, et risquent de faire basculer la situation dans la plus sanglante des guerres ethniques.

Il faudrait donc que le processus de paix commence dès maintenant. Les voies en sont globalement tracées, leurs détails ne sont pas le propos de cet ouvrage. Les obstacles qui s'y opposent encore tiennent au fait qu'il est plus facile, après quarante ans de guerre, de dire « nous vaincrons » ou « vengeons-nous » que de parler de paix. Il y a, de part et d'autre, un geste à faire, une opposition à endurer, une bataille à mener contre les faucons de son propre camp.

Voici venu le temps des leaders, de ceux qui osent et savent dire que le moment de déposer les armes est venu, et que l'adversaire n'est pas le diable. Mendès l'a fait, en France, pour l'Indochine ; de Gaulle pour l'Algérie. Qui le fera pour la Palestine ?

J'ai voulu rencontrer et interroger Yasser Arafat parce que je crois qu'il est, du côté palestinien, le mieux à même de mener ce combat-là.

J'ai conscience, en écrivant ces lignes, d'être assez loin de l'opinion commune pour laquelle le nom d'Arafat évoque souvent le terrorisme — en Israël notamment — et, depuis l'été 1990, désigne aussi un allié de Saddam Hussein, donc un ennemi.

Il reste que l'Histoire montre ce que valent les demi-mesures et les troisièmes forces, et les tactiques consistant à subordonner les négociations au choix du négociateur.

C'est avec le F.L.N. qu'a été négociée la paix en Algérie ; avec le Viêt-minh qu'a été négociée, par deux fois, la paix en Indochine. C'est entre combattants que se décide l'arrêt des combats.

Yasser Arafat en est un, dont j'espère que ce livre fera un peu mieux connaître l'identité et la démarche, moins simples que ne le voudraient les figures de réthorique, moins complexes que ne le croient les tenants d'une géopolitique machiavélique.

Je lui souhaite, après avoir été, de Jérusalem au Caire, d'Amman à Beyrouth, de Tripoli à Tunis, le guerrier nomade et obstiné de sa cause, d'être un faiseur de paix, et de revoir Jérusalem.

N. B.-O.
8 avril 1991.

Histoire du livre

Un monde à part

Yasser Arafat et son entourage forment un monde à part, même parmi les mouvements de libération.

Ce monde est nomade. La traditionnelle dichotomie entre clandestinité intérieure et refuge extérieur est ici éclatée. Plus des deux-tiers de la population palestinienne vit en dehors de la Palestine, sur le pourtour d'Israël (Jordanie, Liban, Syrie) ou au-delà (Golfe, Amériques, Europe), dans des conditions plus ou moins bonnes — de la misère des camps de réfugiés au statut relativement assuré de l'émigration nord-américaine —, mais toujours précaires et particulières. Quant à la direction de l'O.L.P., elle a déjà migré plusieurs fois, du Caire à Amman, d'Amman à Beyrouth, de Beyrouth à Tunis, souvent sous le feu : celui du « Septembre noir » en 1970 en Jordanie, de l'invasion israélienne au Liban en 1982.

Ce monde est menacé. L'entretien avec Abou Iyad qui conclut cet ouvrage est publié à titre posthume. Mon interlocuteur a été tué en janvier 1991 par un garde du corps employé depuis deux ans par un autre dirigeant palestinien, tué le même jour ; le meurtrier attendait depuis deux ans l'occasion favorable... D'Ezzedine Kallak à Issam Sartawi, la liste des dirigeants palestiniens assassinés est longue. Par les nombreux groupuscules extrémistes qui survivent, aux franges du mouvement, du métier de mercenaires. Par les bras armés de tel ou tel régime arabe ayant à régler quelque compte. Par Israël dont les avions sont venus, en 1985, jusqu'à Tunis...

Ce monde est solitaire. La résistance palestinienne est arabe et se veut révolutionnaire, mais elle n'appartient à aucune Internationale, à aucun bloc d'alliances stable et organisé, et, au prix d'une longue succession d'habiletés et de risques, à aucun protecteur. Si son audience dans le monde est considérable, son statut dans le concert des nations est fragile, et ceux-là mêmes qui accueillent un jour ses délégués ou ses dirigeants peuvent un autre jour en commanditer le meurtre, en tout cas ne pas en gêner la tentative.

Arafat à Paris

Mai 1989. Arafat est à Paris. C'est sa première visite officielle en France. Curiosité du microcosme, polémiques... Je suis invitée au dîner donné en son honneur à l'Institut du Monde arabe. S'y mêlent anciens et futurs ambassadeurs, intellectuels, journalistes et hommes politiques. Il y a beaucoup de monde, de nombreuses tables rondes sont dressées pour les invités, bien séparées de la table officielle que préside Yasser Arafat, entre Roland Dumas et Jack Lang, au milieu d'officiels français et palestiniens.

Je fais partie des intellectuels. Publié il y a cinq ans déjà, mon livre n'a pas été un *best seller*, mais il me vaut d'être, avec quelques articles, interviews et interventions radiophoniques ou télévisées, l'un des rares spécialistes de la Palestine.

Je connais Ibrahim Souss, représentant de l'O.L.P. à Paris, mais je ne connais pas Arafat. Je dis aux Palestiniens que je voudrais lui parler. Pour eux, ce n'est pas le moment... Je sais qu'il n'y en aura pas d'autre. Nous en sommes au dessert. Sans plus attendre, avec assurance, je me dirige vers la table d'honneur. Un membre de la sécurité m'intercepte, puis me laisse passer sans que j'aie vraiment à m'expliquer.

Je m'approche d'Arafat. Il se retourne et se

lève immédiatement. Je lui dis mon nom ; il s'adresse à moi en arabe égyptien. Je ne le comprends pas et lui réponds en anglais. A peine quelques mots échangés, il m'embrasse, devant les officiels médusés. Je lui explique que j'ai écrit un livre sur la Palestine, que je continue à suivre le sujet, que j'aimerais le rencontrer à Tunis pour en parler avec lui. « Bien sûr, dit-il, mon conseiller va arranger ça, vous serez la bienvenue. » Il me tend un gâteau, à la façon orientale, signe d'amitié et de bienvenue, tandis que les flashes crépitent. Des amis me diront le lendemain m'avoir vue avec lui sur FR 3...

Cet accueil donne le ton de ce que sera, tout au long de mon entreprise, l'ambiance de nos contacts. Il a certainement tenu à la circonstance, mais, par la suite, non sans que surviennent des difficultés et des tensions dues à des facteurs d'une toute autre nature, cette ambiance se maintiendra.

Rien n'est simple

Près de six mois se sont écoulés lorsque je me rends, en octobre, au rendez-vous de Tunis.

Le conseiller avec lequel je suis en contact, Saleman Al Herfi, m'a dit que j'étais la bienvenue à tout moment. Arafat, cependant, vient de partir en voyage au moment même où j'arrive. C'est, je le saurai plus tard, chose courante. Parce que ce qui est planifié est secret, et souvent modifié pour raisons de sécurité ; parce que c'est sans préavis que le Président de l'O.L.P. décide de se rendre dans l'un ou l'autre des pays arabes où se trouvent des éléments de l'Organisation, il n'est jamais d'avance certain qu'il sera là.

Je rencontre à mon arrivée son directeur de cabinet, Samy Sallam, qui me demande ce que je souhaite faire au juste. Je lui ai apporté mon livre précédent et lui explique que je voudrais en faire un avec le Président.

C'est un homme de petite taille, handicapé. Je lui demande s'il a été blessé dans un attentat. Ce n'est pas cela. Il représentait Yasser Arafat à Beyrouth avant l'exode de 1982 vers Tunis, où il l'a suivi. Il a rédigé un livre sur les structures de l'O.L.P. Modeste et efficace, il est le point d'accès officiel à Yasser Arafat.

Il m'invite à entrer en contact avec Khaled el Hassan, Abou Iyad et Bassam Abou Charif.

Notre entretien a lieu à Hamam Chatt, le quartier général de l'O.L.P., non loin de Tunis, dévasté par le raid israélien d'octobre 1985, dans une maison minuscule, au milieu d'un champ de ruines. Je m'attendais à un certain confort ; en fait, chaque bureau a une superficie de dix mètres carrés, le seul mobilier est composé de quelques tables et de chaises en bois. Il était — il est encore — question de construire un building...

Bassam Abou Charif

De retour à l'hôtel, j'apprends que Bassam Abou Charif m'a déjà appelée à plusieurs reprises et qu'il désire me voir rapidement.

Bassam est quelqu'un qui n'attend pas, surtout lorsqu'il s'agit de voir ceux qui souhaitent rencontrer Arafat. Il est son « conseiller », mais n'appartient pas aux structures officielles de l'Organisation, qu'il a rejointe depuis trois ans. Ancien membre du F.P.L.P. et rédacteur en chef du journal du mouvement, il est connu depuis l'attentat dont il a été victime à Beyrouth : une lettre piégée qui, lui explosant entre les doigts, a laissé des traces indélébiles sur son visage et ses mains. Il ne l'oubliera pas. Il joue son rôle à son rythme, qui est débordant. Dans la villa du quartier d'El Menzah où je le rencontre, qui lui sert à la fois de logement et de bureau, l'ambiance est amicale et survoltée. Il s'adresse à moi en français, particularité relativement rare dans les cercles dirigeants de l'O.L.P. où, en dehors de l'arabe, c'est l'anglais qui est de rigueur, et très vite il me tutoie. Il regrette que le Président ne soit pas là, mais je suis tout de même la bienvenue ; je le verrai dès qu'il reviendra.

Il m'invite à dîner, sans cesser pour autant, comme durant notre entretien, et bien qu'il y ait là plusieurs autres personnes, de faire mille choses à la fois : prendre ou donner des coups de téléphone, recevoir ou envoyer des fax, etc.

Il est l'homme des contacts avec la presse. C'est lui qui « traite » les journalistes qui souhaitent rencontrer le Président, et qu'au besoin il sollicite. Il rédige, à chaud, les communiqués qu'appellent les multiples événements auxquels l'O.L.P. est mêlée, sans être pour autant enfermé dans ce rôle. Il peut aussi être en charge de contacts officieux avec les diplomates en poste à Tunis ou avec de nombreuses relations de par le monde, et, le cas échéant, donner des interviews, parfois retentissantes et démenties, comme le furent ses propos de mars dernier, lorsque, au lendemain de la rencontre entre le Secrétaire d'État américain et une délégation palestinienne, il déclara que l'O.L.P. pourrait négocier sur la base d'une fraction seulement des Territoires occupés...

Tout au long de ce travail, il sera l'une de mes voies d'accès à Arafat.

Avoir un rendez-vous

La notion de rendez-vous est ici particulière ; il faut savoir attendre. Il est bien rare qu'une visite chez Bassam ne soit pas l'occasion de rencontrer un journaliste auquel un entretien avec Arafat a été promis et qui attend. Des jours et des jours...

J'ai attendu, moi aussi, à Paris d'abord, pour obtenir le « feu vert » et me rendre à Tunis, puis à Tunis pour obtenir l'entretien convenu.

Il faut que le Président soit disponible ; il ne l'est pas souvent, et ses disponibilités ne sont guère prévisibles.

Il faut aussi qu'il soit prévenu, et mieux vaut, pour être sûr qu'il le sera, avoir pris la précaution de dire qu'on est sur place à deux ou trois personnes différentes.

Dans mon cas, il s'agira de Bassam, bien sûr, mais aussi de Soah Tawill et de Raïda qui jouent — par alternance — auprès d'Arafat un rôle d'assistance et de filtrage, puis, pour l'ultime rencontre, de son directeur de cabinet et de son secrétaire personnel, Khaled Sallam.

Malgré tout cela, je n'échapperai pas à plusieurs périodes de blocages, dont l'une a duré plus de trois mois, ni non plus, une fois sur place, à de longs moments d'incertitude sur le rendez-vous lui-même : il m'est arrivé de rester près de quinze jours d'affilée à Tunis.

Cela n'a évidemment pas facilité la conduite de mon projet, l'organisation des entretiens, l'enchaînement logique des questions, et n'a pas manqué de me faire douter de son issue, et mon éditeur avec moi, dont je salue ici la constance et la compréhension.

Au total, j'aurai cependant rencontré Arafat une trentaine d'heures, seulement pour ce qui concerne les interviews elles-mêmes.

Selon les critères en vigueur, c'est sans précédent.

C'est ce qu'il m'a dit lui-même, c'est ce que m'ont confirmé ceux qui m'ont aidée et auprès desquels j'ai souvent insisté : j'ai été la seule à qui il ait parlé aussi longuement, et, passé le premier voyage, à ne jamais faire le déplacement de Tunis pour rien.

Khaled el Hassan

J'ai rencontré Khaled el Hassan lors de mon premier voyage à Tunis.

Il fait partie des figures « historiques » du mouvement palestinien. Il est l'un des créateurs du Fatah et connaît parfaitement l'Occident, où il effectue de nombreux voyages depuis des années. Il préside d'ailleurs la Commission des Affaires étrangères du Conseil National palestinien. Spécialiste de politologie, il est l'auteur de plusieurs ouvrages écrits en langue arabe.

Nous ne ferons souvent que nous croiser, car, fortuné, il partage son temps entre le Koweit et Tunis, où il me recevra néanmoins plusieurs fois.

Mon projet l'intéresse, mais il me met en garde contre les obstacles : Arafat est difficile à rencontrer, surtout plusieurs fois de suite. Jamais il n'a accepté de faire un livre d'entretiens. A moi de l'en convaincre.

Il s'intéresse au fond du projet. Je rédige à son intention un bref synopsis qui laisse ouverte l'option d'une série d'interviews avec d'autres dirigeants. Surtout, nous en parlons. Je mesure l'étoffe intellectuelle de mon interlocuteur. De son côté, il comprend que je connais bien mon sujet.

Il conclut avec humour en me disant que si Arafat accepte, j'aurai à prendre beaucoup de vitamines, car je devrai être à sa disposition à plein temps, l'interviewer ici ou ailleurs, aussi bien que pendant ses voyages.

Ce sera un peu moins épuisant qu'annoncé, mais guère moins difficile...

Dans les environs de Tunis, la nuit...

Arafat travaille la nuit et dort très peu ; son entourage de même.

Je suis chez Bassam, ce 11 novembre 1989, il est une heure du matin. Il y a là une dizaine de personnes, pour la plupart des Palestiniens, mais aussi des journalistes de diverses nationalités. Bassam s'est rendu auprès d'Arafat. De là, il appelle son chauffeur, qui m'emmène.

Il roule à toute vitesse, comme tous les chauffeurs de l'O.L.P. qui me conduiront, jusqu'à une villa semblable aux autres, que distingue simplement une modeste présence de la police tunisienne : deux agents dans deux guérites qui flanquent l'entrée. Pas plus de protection apparente que pour les autres dirigeants palestiniens.

Une fois franchie la porte, la garde est palestinienne, et elle est nombreuse : une vingtaine d'hommes armés de kalachnikov. Une grande sobriété : peu de meubles, tous très simples, un petit bureau en bois, un escalier, une austère salle d'attente jouxtant l'endroit qui tient lieu de salle à manger.

Quelques instants de patience ; un peu de trac. C'est maintenant qu'il va dire oui ou non au projet de livre. Je me demande comment cela va se passer. Personne ne m'a prodigué de conseils protocolaires, j'ai surtout été munie d'avertissements sur la difficulté de mon entreprise. Je fume cigarette sur cigarette.

On vient me chercher. Je redescends. On m'introduit dans une sorte de salle de réunion où est installée une table en U au bout de laquelle se tient Yasser Arafat. Surprise de le découvrir sans son *keffieh* qui ne le quitte jamais quand il se montre à l'extérieur, et portant des lunettes. Il y a une lourde pile de documents près de lui, dans laquelle il puise des feuillets qu'il lit à toute allure et qu'il annote au crayon rouge, puis empile de l'autre côté.

Bassam est entré avec moi. Arafat lève les yeux. Il m'embrasse, mais reprend sa lecture. Bassam s'adresse à lui posément, sans son exubérance habituelle, en anglais. Il décline mon nom et lui demande s'il se souvient de m'avoir vue à Paris. Arafat lève à nouveau les yeux et répond par un compliment où il est question de « l'éclat de la lune » : mythe de l'Orient ! Je ne suis qu'à demi-rassurée.

Je commence à exposer mon projet. Il s'est remis à écrire. Je m'interromps. Il me prie de continuer, ce que j'ai du mal à faire. Bassam m'explique à mi-voix qu'il est toujours comme ça : il écrit, mais il écoute. Je ne m'y fais pas, et, finalement, Arafat suspend sa lecture.

Nous avons une brève conversation au cours de laquelle je lui remets un exemplaire de mon livre, et je lui dis que je veux en faire un avec lui. Il me remercie. Je m'attends à des questions plus précises. Il n'en pose presque pas, puis répond : « C'est d'accord. Vous continuez avec Bassam. Il arrangera les rendez-vous. »

Bassam me demande si je veux des photos. Bien sûr que oui. A ma grande surprise, Arafat s'y prête. Il remet soigneusement son *keffieh* cependant qu'arrive un photographe pour lequel nous posons ensemble.

En quittant la villa, je suis perplexe. Je me demande encore si le livre va se faire. Il en a accepté le principe avec une telle promptitude... Bassam me rassure et m'engage à préparer mes questions.

Abou Iyad

J'ai eu avec Abou Iyad des entretiens longs et nombreux, qui sont publiés ici à titre posthume. Je l'ai vu pour la dernière fois avant que la guerre du Golfe ne commence, et n'ai donc pas pu l'entendre à ce sujet. Mais sa position est connue. Il a œuvré avec opiniâtreté pour que le différend qui opposait l'Irak au Koweit soit réglé de façon pacifique. Cela n'a pas été le cas. Son assassinat, en janvier 1991, a pratiquement coïncidé avec le déclenchement des hostilités.

Dès le premier contact, le courant est passé entre nous. Il a d'emblée marqué beaucoup d'intérêt pour mon projet. Il avait eu auparavant avec Eric Rouleau une série d'entretiens qui ont été publiés, et cette forme d'ouvrage lui semblait opportune.

Notre dialogue a suivi le fil des événements et s'est déroulé très naturellement, sans aucune note préalable de ma part. Il m'en a fait compliment, et je crois qu'il a pris plaisir à converser avec quelqu'un qui connaissait son sujet. Je crois aussi qu'il s'est abstenu de tout faux-fuyant et m'a répondu avec logique et franchise. J'ai apprécié son caractère, sa courtoisie sans fioritures, son envergure intellectuelle.

Dirigeant du Fatah, fin connaisseur du monde arabe, il était, comme Abou Jihad, très lié à Yasser Arafat et restera, dans l'histoire du mouvement palestinien, l'une de ses personnalités les plus marquantes. C'était un homme d'action. C'était aussi un homme qui lisait des livres.

Il ne lira pas celui-ci.

Pas de biographie

L'objet de ma démarche n'était pas d'écrire une biographie d'Arafat.

Il n'en existe d'ailleurs pas à ma connaissance,

ni à celle des proches ou des experts que j'ai pu interroger. On sait peu de choses de ses premières années et de son adolescence, d'autant moins qu'elles se sont déroulées dans une région troublée où les hommes et les situations ont beaucoup bougé au fil des décennies ; quant à la suite, elle est étroitement mêlée à l'histoire du mouvement palestinien.

Yasser Arafat est né à Jérusalem (certains disent Gaza). Il a plusieurs frères et sœurs. Son frère Fathi, dont j'ai fait la connaissance à Genève, lorsqu'Arafat s'est exprimé aux Nations Unies en mai 1990, dirige le Croissant Rouge palestinien.

Arafat a passé une partie de son enfance à Jérusalem où habitait sa tante, puis est parti étudier au Caire. Il y a entamé une carrière d'officier, au tout début de laquelle a commencé son militantisme politique.

Si j'ai, en quelques occasions, évoqué au cours de nos entretiens certains éléments de sa biographie, c'est pour essayer d'éclairer son caractère plus que pour contribuer à établir son itinéraire personnel.

Lui-même en parle d'ailleurs fort peu, avec pudeur et émotion, et il ne se serait sans doute pas prêté à des entretiens visant à brosser l'histoire de sa vie, préférant l'histoire de sa cause avec laquelle, il est vrai, son propre destin se confond très largement.

Les entretiens

J'ai rencontré Yasser Arafat dans plusieurs capitales, mais tous nos entretiens ont eu lieu à Tunis.

En voici un bref descriptif.

Je suis à l'hôtel dont j'ai laissé le numéro de téléphone ; je ne dors pas. Mes entretiens avec Arafat ont toujours lieu la nuit. Il me dira d'ailleurs à une ou deux reprises, en m'accueillant : « Toujours après minuit... » Ceci avec un très court préavis. Lorsqu'un coup de fil me prévient, la voiture est déjà en route, et elle roule vite...

Avant ou après l'entretien, je suis conviée à dîner.

C'est un dîner palestino-libanais, avec beaucoup de mets posés sur la table, en général froids, car l'heure des repas est soumise aux mêmes aléas que celle des interviews.

Si le Président est pressé, on le prend debout. Il y a là en général dix à douze personnes, des cadres de l'O.L.P. de Tunis, parfois des représentants de l'O.L.P. venus en consultation au quartier général. On parle peu. Arafat est entouré d'un respect qui contraste avec l'absence d'apparat des lieux. Il me place toujours près de lui et me tend la nourriture à l'orientale.

Au cours de nos entretiens, un certain courant passe entre nous. Je l'interroge de mémoire, et, au début, il me demande une fois ou deux : « Où sont vos questions ? » Je viendrai ensuite avec un bloc que je consulterai à peine, sans avoir pour autant rien à lui soumettre à l'avance. Il s'y habituera.

Je m'adresse à lui en anglais, l'appelant « *Mr. Chairman* » ou « *Mr. President* ». Un jour, mon expression le fait rire. Je lui demande alors comment il souhaite que je m'adresse à lui, et il me répond : « Abou Ammar », terme réservé aux proches.

L'entretien se déroule en présence de plusieurs personnes : souvent Raïda, l'attachée de presse, Soah, quelquefois Bassam et Salmane, lequel traduit alors ses réponses en français, car je préfère qu'Arafat s'exprime dans sa langue maternelle. D'autres aussi : Nabil Shaat, de passage à Tunis, Hani El Hassan, Oum Jihad la première fois, Ahmed Abderrahmane, la dernière. Porte-parole de l'O.L.P., directeur de son bureau d'information, il fait partie des quelques-uns qui sont restés aux côtés d'Arafat jusqu'au bout à Tripoli.

Les entretiens sont suivis d'un bref tête à tête

qui me permet de revenir, « *off the record* », sur certains points.

Des prudences

Arafat a l'habitude des interviews et une parfaite maîtrise de ses propos. Ses réponses peuvent être laconiques et nécessiter une relance, ou, à l'inverse, être longues et détaillées pour justifier un point de vue déterminé. Il oscille entre ces deux extrêmes. Il en va rarement autrement.

Le laconisme est constant sur quelques points délicats, à commencer par le terrorisme. C'est pourtant un aspect majeur, et l'argument essentiel de ceux qui, en Israël et ailleurs, disqualifient l'O.L.P., son Président, ou les deux, pour la conduite d'une future négociation.

Sans doute s'agit-il là d'un grief classique : les gouvernements qui ont traité de la paix en Indochine et en Algérie se sont vu opposer par leurs détracteurs l'argument selon lequel « on ne traite pas avec des terroristes ». A ses interlocuteurs français, Arafat rappelle à l'occasion que la résistance française fut elle aussi semblablement qualifiée.

Nous savons — lui aussi — que le cas du mouvement palestinien est, en ce domaine, particulier : il y a eu le terrorisme international, et aussi beaucoup d'attentats visant des populations civiles, des athlètes de Munich aux passagers de Lod.

Après d'autres, j'ai essayé d'obtenir sur ce sujet davantage d'explications, sans grand succès. Quiconque connaît bien l'histoire du conflit sait que les facteurs de terrorisme sont nombreux : exaspération de la base, notamment dans les camps de réfugiés ; position de certains pays arabes qui peuvent à l'occasion abriter des organisations extrémistes ; tentation de « répliquer » à la politique de force israélienne par cette voie, à défaut d'en avoir d'autres. La direction de l'O.L.P. en a été elle-même très largement victime et l'influence d'Arafat a été dans l'ensemble, depuis plusieurs années, particulièrement modératrice.

Il a dit quelques mots du terrorisme, mais nous en sommes restés, là-dessus, aux positions officielles.

C'est aussi le cas de deux autres domaines « sensibles » : les relations avec les alliés arabes et les luttes de tendances au sein du mouvement palestinien. Si notoires que soient ou qu'aient été ces désaccords, c'est là un sujet sur lequel Arafat ne souhaite pas s'étendre.

Pouvait-il en être autrement ?

L'un des paradoxes de la situation du Président

de l'O.L.P. est qu'il a, vis-à-vis de ses multiples alliés — pays arabes, mouvements de résistance fédérés au sein de l'O.L.P. —, l'obligation de se montrer prudent dans ses propos, alors qu'il aurait sans nul doute besoin de tenir un discours plus « accessible » aux opinions occidentales.

La Cause

Si Arafat ne manque pas de souligner les attitudes politiques qu'il apprécie, celle de François Mitterrand notamment, il s'abstient de se prononcer sur les hommes, même lorsqu'il s'agit de Nasser qui a marqué l'histoire du nationalisme arabe ; il ne se donne pas de modèle.

Il en va de même en ce qui concerne l'histoire palestinienne elle-même.

Entré tôt en politique, Arafat a été un initiateur, en compagnie d'Abou Iyad et Abou Jihad, sans véritable prédécesseur, l'éphémère Ahmed Choukeiri ne pouvant guère en tenir lieu.

S'il parle volontiers des événements contemporains dont il a été acteur, il fait peu allusion à des références historiques.

Sa foi est patriotique. Si tels ou tels mouvements palestiniens ont adhéré à certaines idéologies répandues parmi les mouvements de libération, et si, dans l'ensemble, la résistance palestinienne s'est volontiers dite « révolutionnaire », Arafat n'est pas un doctrinaire. Les Palestiniens, le peuple palestinien, ses souffrances et ses combats, ses droits et ses aspirations à un territoire, à un État, à une souveraineté, forment l'ossature de ses propos.

Il tient aussi un discours rassembleur. Si sa condamnation d'Abou Nidal est nette, c'est celle d'un dévoyé. Pour le reste, Arafat s'attache à s'exprimer en tant que chef de tous les Palestiniens, quelles que puissent être, en pratique, les tensions et les querelles.

Oum Jihad

Veuve d'Abou Jihad, le plus proche compagnon d'Arafat, Intissar Wazir est devenue un symbole pour les Palestiniens.

En décembre 1989, je commence mes entretiens avec Arafat ; il m'emmène à une réunion destinée à commémorer le deuxième anniversaire du début de l'*Intifada*. La salle est pleine à craquer, l'ambiance très chaude. Tous les officiels palestiniens sont là, ainsi que quelques représentants du gouvernement tunisien, entourant le Président de l'O.L.P. Arafat monte à la tribune et commence son discours ; rompu à cet exercice, c'est un tribun qui fait hurler son auditoire.

Lorsqu'il cite le nom d'Oum Jihad et que celle-ci se lève, le public exulte et l'applaudit à tout rompre.

Première femme à exercer des responsabilités dès les débuts du Fatah, elle est aujourd'hui en charge des affaires sociales et appartient aux instances dirigeantes du mouvement. Responsable depuis les années 70 d'un domaine traditionnellement réservé aux femmes, notamment à Amman où elle vit la plupart du temps, ce n'est pas à proprement parler une « politique ».

Évoluant très naturellement dans un monde d'hommes, elle est courageuse et active. Lorsque je l'accompagne à l'inauguration d'une exposition de dessins faits par des enfants palestiniens autour du thème de l'*Intifada*, je remarque son pas vif et décidé, reflet de son caractère. Flanquée de deux gardes du corps de haute taille, elle avance sûrement. Aucune hésitation : le chef, c'est elle.

Pour tous ceux qui viennent lui rendre visite et qui lui manifestent un respect qui confine à la vénération — et ils sont nombreux —, elle est d'abord la femme du « héros palestinien ».

Les murs de sa villa de Sidi Bou Saïd sont couverts de photos grand format de ses enfants — notamment du petit Nidal, mort en bas âge au cours d'un accident tragique —, de Yasser Arafat, bien sûr, du couple qu'elle formait avec son mari, et de celui-ci à différentes époques de sa vie.

Elle porte le deuil sans ostentation ; c'est une « dame » au regard brun très mobile, simple et généreuse. Elle me traite avec beaucoup d'égards, comme une amie de longue date.

Douée d'une impressionnante mémoire, elle me raconte son histoire depuis l'enfance, et les mille détails qu'elle évoque m'aideront beaucoup à connaître les arcanes du mouvement palestinien, mais aussi la personnalité de celui dont elle est proche, Yasser Arafat.

Lors de mes derniers voyages, elle sera toujours à Amman où je ne peux pour l'instant lui rendre visite comme elle m'y a invitée. Je le regrette.

Détails

Arafat m'a toujours reçue en tenue militaire kaki, assortie du célèbre *keffieh* pour sortir ou pour figurer sur les photos. Je ne lui ai pas connu d'autres objets personnels. Je n'ai rien noté qui personnalise les lieux qu'il occupe et dont il a l'habitude de changer souvent, pour raisons de sécurité. Hormis les voyages fréquents, dans le monde arabe et ailleurs, ses déplacements à Tunis même, d'une villa à l'autre, ajoutent à la sensation de provisoire qui imprègne son mode de vie, celui d'un monde nomade, dans l'attente du retour en Palestine...

Un monde qui roule vite. A plusieurs reprises, notamment lors d'une invitation à déjeuner chez Hakam Balaoui, représentant de l'O.L.P. à Tunis, puis à Genève, conviée à assister à l'intervention d'Arafat devant le Conseil de Sécurité au Palais des Nations, j'ai fait l'expérience des cortèges de six ou sept voitures qui précèdent, suivent, entourent celle du Président. Gymkana armé...

Un monde qui dort peu. Quatre ou cinq heures par nuit pour Arafat. Un travail qui se prolonge donc jusqu'aux petites heures du matin, et durant les déplacements en avion. Beaucoup d'informations et de décisions remontent jusqu'au Président ; beaucoup d'audiences à accorder : à des officiels de l'O.L.P., à des Palestiniens de la Diaspora, mais aussi à des particuliers, car les qualités humaines d'Arafat sont notoires. Il arrive qu'il rende lui-même visite à des familles palestiniennes en deuil ; il est fréquent qu'il subvienne aux besoins des personnes qu'il emploie, permettant par exemple à leurs enfants de faire des études qu'ils n'auraient pu mener sans cela.

Les personnes qui l'entourent jour et nuit lui sont totalement dévouées. Il est à la fois très respecté et très craint.

Le Conseil de Sécurité à Genève

L'*Intercontinental* est en effervescence en cette fin mai 1990.

Demain 25 mai, Yasser Arafat va finalement s'exprimer devant le Conseil de Sécurité. Les États-Unis s'étant opposés à son entrée sur leur territoire, c'est le Conseil qui s'est déplacé de l'immeuble de verre de l'East River au Palais des Nations[1].

L'*Intifada* aura bientôt trois ans. Elle a été le facteur décisif de cette intervention du Président de l'O.L.P. devant l'organe suprême des Nations unies, et elle en sera le thème majeur.

Un étage est réservé à la délégation palestinienne. Il est sévèrement gardé, comme les accès de l'hôtel et ceux du Palais des Nations. Les déplacements d'Arafat, en cortège, s'effectuent à toute allure, et c'est par les sous-sols et au pas de gymnastique que l'on rejoint les voitures pour se rendre à la séance.

Arafat et la délégation palestinienne ont un bref entretien avec Perez de Cuellar avant que ne débute la séance. J'y assiste depuis la tribune réservée aux invités des délégations. Les représentants des quinze membres du Conseil de

1. Le siège des Nations Unies est, depuis leur fondation, situé à New York. Genève est un siège annexe.

Sécurité siègent autour d'une table en demi-cercle. Le président met aux voix la question de procédure : Arafat peut-il s'exprimer ? Une majorité se dégage. Il entre, en tenue kaki et coiffé du *keffieh*.

Il s'exprime assez longuement. Il dénonce d'abord la répression de l'*Intifada* par l'armée israélienne dans les Territoires occupés, en évoquant le nombre élevé des victimes, l'emploi de gaz toxiques, la pratique de la destruction des maisons des suspects, la fermeture des établissements d'enseignement. Il condamne ensuite l'annexion de Jérusalem, l'implantation de colons juifs soviétiques dans les Territoires occupés, le soutien des États-Unis à la politique de force israélienne. Il conclut en demandant l'envoi sur place d'un représentant du Secrétaire général, l'arrêt des implantations de colons, une conférence des cinq membres permanents du Conseil de Sécurité sur la paix, et des sanctions contre Israël.

Il quitte la séance après son intervention, et le débat commence. Il se poursuivra à New York.

Cette intervention est précédée et suivie de nombreuses interviews avec des journalistes étrangers, notamment américains, et, le 26, a lieu une conférence de presse où Arafat réitère son propos en insistant sur la répression israélienne et en montrant des photos d'enfants et d'adolescents qui en sont victimes.

C'est, pour de nombreux Palestiniens de tous horizons, une occasion de rencontrer Arafat, plus commodément qu'à Tunis, et les salons de la délégation palestinienne ne désemplissent pas.

Constamment sollicité, Arafat est tout à son rôle, mais présente néanmoins à son invitée les personnalités palestiniennes qui se retrouvent autour de lui.

Je fais la connaissance de Mahmoud Darwish, qui préside la délégation palestinienne aux Nations Unies, et j'apprécie sa simplicité et son humour dans une circonstance où il est plus officiel que poète, et celle de Nabil Chaat avec qui j'échange quelques mots.

Je rencontre aussi Fathi Arafat, frère de Yasser Arafat et président du Croissant Rouge palestinien, souriant, accueillant et qui m'invite à venir voir le dernier hôpital construit au Caire.

Sentiments

S'il est très placide au cours des discussions politiques, il arrive en revanche que Yasser Arafat soit animé d'une soudaine curiosité pour des détails de la vie dont il est coupé depuis si longtemps. Je me souviens d'une conversation au sujet d'un gâteau servi au cours d'un dîner, et de son intérêt lorsqu'on m'expliqua que je pouvais en trouver de semblables à Paris chez un Arménien installé près du Panthéon...

Si le politique est maître de lui et de son propos, l'homme n'en est pas pour autant froid. Parfois affleure chez lui le souvenir de l'enfance et de la jeunesse en Palestine. Un jour, Arafat s'interrompt pour me montrer, sur une grande photo aérienne, la maison où habitait sa famille à Jérusalem.

Une réelle émotion transparaît à l'évocation des amis et compagnons disparus ; il lui arrive de verser des larmes à leur souvenir.

La dernière fois

Mars 1991. Claude Durand m'a pressée de conclure. J'ai sollicité un dernier entretien. Il a été long et chargé : la guerre du Golfe, depuis le début de laquelle je ne l'avais pas revu, les négociations à venir, sa vision du futur État palestinien, et plusieurs autres questions restées en suspens lors des précédentes rencontres. Cette fois, ses réponses ne pourront plus être complétées ni reprises.

Vient la dernière, sur Jérusalem bien sûr.

« *It is the end.* »

Je ne peux m'empêcher d'être émue ; heureusement, cela ne transparaît pas sur les photos prises aussitôt après. Quant à lui, il me dit combien il lui a été agréable de faire ce livre, et me regarde avec amitié. Nous nous levons, nous nous disons au revoir. Je le remercie. Il m'embrasse chaleureusement.

Je quitte la pièce et rentre à mon hôtel dans la nuit.

Demain commenceront le décryptage de l'enregistrement, la dactylographie, la relecture.

Ce soir, d'autres pensées m'occupent.

Il m'a finalement reçue autant de fois que nécessaire, nonobstant l'*Intifada*, la guerre du Golfe, la succession des événements qui a fait plus de place aux armes et au deuil qu'à l'espérance.

Pourtant, au-delà des convulsions, l'espérance demeure dans le cœur de l'homme qui incarne aujourd'hui la Palestine.

Entretiens avec Yasser Arafat

« Malgré tout, le soleil peut encore sortir des pierres et briller. Car notre pays reste notre pays. »

Mahmoud DARWISH.

NOTICE BIOGRAPHIQUE

Yasser Arafat est né en 1929 à Jérusalem[1].

Il est appelé Abou Ammar par ses proches et ses partisans.

Il fait ses études à Gaza, puis, à partir de 1950, au Caire où il préside, de 1952 à 1956, l'Union des Étudiants palestiniens. Il participe, dans les rangs de l'armée égyptienne, à la guerre de 1956.

Le Fatah

En 1957, il rejoint le Koweit où se trouve une importante communauté palestinienne, et y prépare avec ses premiers compagnons, également venus du Caire, la création du « Fatah », officialisée en 1959.

Ce mouvement reçoit le soutien de l'Algérie

1. Selon certaines sources, il serait né à Gaza.

et commence à se faire connaître dans les capitales du tiers monde dans les années 60, en même temps qu'il mobilise dans les camps de réfugiés palestiniens du pourtour d'Israël. Il lance ses premières actions armées contre Israël en 1964. L'ampleur qu'il prend, son indépendance et son activisme valent à Yasser Arafat d'être plusieurs fois arrêté et emprisonné, notamment en Syrie et au Liban.

Après la défaite arabe de 1967, Arafat se rend clandestinement en Cisjordanie occupée où il organise l'action clandestine du Fatah. En mars 1968, son mouvement est au cœur de la bataille de Karameh qui oppose, sur le territoire jordanien, les forces israéliennes aux feddayin palestiniens.

L'O.L.P.

Le soutien arabe et la notoriété internationale viennent, et Yasser Arafat accède aux organes dirigeants de l'O.L.P., dont il est porte-parole en 1968 et dont il prend la Présidence en février 1969.

Il est, depuis lors, le leader de la résistance palestinienne.

Il s'attache à entretenir des relations avec tous les régimes arabes et à en obtenir le soutien, et, au-delà du monde arabe, à faire reconnaître les droits du peuple palestinien et la représentation de l'O.L.P. dans les grandes capitales et les instances internationales, en même temps qu'il s'emploie à renforcer la résistance palestinienne elle-même.

Cette période est marquée par le « Septembre noir », en 1970, lorsque l'armée jordanienne intervient brutalement pour imposer son autorité aux forces palestiniennes installées en Jordanie ; par le développement du terrorisme international perpétré par le mouvement du même nom et plusieurs autres, que l'O.L.P. condamnera, mais sans le maîtriser.

Elle est aussi celle des succès diplomatiques.

Les sommets arabes de 1973 et 1974 reconnaissent la représentativité de l'O.L.P., et Yasser Arafat intervient devant l'Assemblée générale des Nations Unies en novembre 1974. L'O.L.P. y obtient un statut d'observateur. La plupart des capitales européennes, après celles du bloc de l'Est, accueillent des bureaux de représentation de l'O.L.P. Celle-ci, de façon progressive, adopte sous la conduite d'Arafat des positions modérées, notamment à partir de 1977, en acceptant d'établir un État palestinien sur tout territoire libéré par Israël, puis le principe d'une confédération jordano-palestinienne et les résolutions 242 et 338 des Nations Unies.

Parallèlement, en 1978, l'Égypte traite avec Israël, sous l'impulsion de Sadate qui s'engage dans le processus de Camp David et clôt ainsi l'ère de la « solution militaire » recherchée lors des conflits de 1967 et 1973, dont l'Égypte était la principale partie prenante du côté arabe.

Elle est enfin celle de l'affrontement direct avec Israël, sur le sol libanais où la résistance palestinienne est déployée après la crise jordano-palestinienne. En 1973 et en 1978, lors d'incursions israéliennes, et surtout en 1982 lorsqu'Israël envahit le Liban et fait le siège de Beyrouth, les forces palestiniennes lui opposent une longue et opiniâtre résistance.

L'après-Beyrouth

Elle se conclut avec l'évacuation de Beyrouth sous contrôle international en 1982, puis de Tripoli en 1983, où Syriens et dissidents palestiniens assiègent les forces demeurées loyales à Arafat.

L'O.L.P. s'installe à Tunis où son siège est bombardé par Israël en octobre 1985.

Elle affronte les dissidences nées dans la tourmente libanaise et attisées par certaines capitales arabes, et de nouvelles tensions avec celles-ci, dont, en 1986, le gel des accords jordano-palestiniens et l'expulsion des responsables du Fatah à Amman par le roi Hussein de Jordanie.

L'O.L.P. entame un dialogue avec les États-Unis, rompu en 1990 à la suite de l'attentat commis en Israël par Aboul Abbas.

Fin 1987, le Conseil National d'Alger voit la plupart des mouvements palestiniens réintégrer l'O.L.P.

L'Intifada et le Golfe

C'est fin 1987 que commence, dans les Territoires occupés, l'*Intifada*, ou révolte des pierres. Elle se poursuit encore aujourd'hui. La forte mobilisation de la population palestinienne, son opiniâtreté, la brutalité de la répression israélienne qui s'ensuit, démontrent à l'opinion internationale qu'un règlement de la question palestinienne est nécessaire.

L'O.L.P. s'y prépare en proclamant, en novembre 1988, la création de l'État palestinien, et en confirmant la modération de sa ligne. En 1988, aux Nations Unies, Arafat déclare qu'il « accepte » l'État d'Israël, et réitère sa condamnation du terrorisme ; en 1989, à Paris, il déclare « caduque » la charte de 1964 dont les termes contestaient le droit d'Israël à l'existence.

En 1990, lors de l'invasion du Koweit par

l'Irak, et de l'intervention, pour l'en chasser, d'une coalition conduite par les États-Unis, Yasser Arafat adopte une attitude perçue en Occident comme pro-irakienne, en se prononçant pour un règlement arabe et négocié du différend.

A l'issue de ce conflit, l'attention occidentale se porte sur la question palestinienne, dont les chefs de file de la coalition déclarent qu'elle doit être réglée une fois le Koweit évacué, pour souligner leur intention d'appliquer les résolutions des Nations Unies dans l'ensemble de la région.

En mars 1991, Yasser Arafat se déclare prêt à engager une négociation directe avec Israël, sans préalable, sous les auspices de l'O.N.U., et autorise une délégation de Palestiniens des Territoires occupés, conduite par Fayçal Al Husseini, à rencontrer le Secrétaire d'État américain James Baker lors du voyage de celui-ci en Israël.

AVERTISSEMENT

Les entretiens qui suivent ont eu lieu de décembre 1989 à mars 1991.

Nous avons dans l'ensemble conservé leur ordre chronologique, mais en effectuant, si nécessaire, des regroupements thématiques permettant de mieux appréhender la logique des événements.

En ce qui concerne les développements relatifs à la guerre du Golfe, l'indication des dates des entretiens permet de distinguer les propos tenus avant le déclenchement de l'offensive de la Coalition, de ceux tenus postérieurement.

1.

De la prise de conscience à la présidence de l'O.L.P.

Q. — Vous n'aviez que sept ans lors de la grande révolte palestinienne de 1936[1], seize ans à la fin de la Seconde Guerre mondiale, dix-neuf ans en 1948, date de la création d'Israël. Quand situez-vous votre première prise de conscience nationale ?

R. — Enfant, puis adolescent, j'étais réveillé par le bruit de bottes des soldats britanniques dans les rues de Jérusalem où j'habitais. Je n'ai eu une perception politique de la présence sioniste que peu avant 1948.

1. En 1936, à l'appel du Mufti de Jérusalem, la population arabe de Palestine se soulève contre l'administration britannique et déclenche une grève générale en réclamant l'arrêt de l'immigration juive.

Q. — A vos yeux, les Britanniques ont-ils la même responsabilité que les Juifs dans le processus qui a abouti, après maintes difficultés, au partage de la Palestine en 1947 ?

R. — Balfour[1] a promis aux Juifs ce qu'il n'avait pas, ce qu'il ne possédait pas ; notre pays a été ouvert à ceux qui fuyaient le nazisme. Ils ont pris nos terres et nous en ont chassés. C'est pour cette raison que, beaucoup plus tard, en 1969, lorsque nous avons proposé la création d'un État démocratique où juifs, chrétiens et musulmans pourraient vivre ensemble, ils s'y sont opposés, ils ont refusé. Ils prétendaient que cette terre n'était pas la nôtre, qu'elle était « juive ».

Q. — Quelques années après la deuxième guerre israélo-arabe (1956), vous avez créé le Fatah. Comment cette idée vous est-elle venue, quelles sont les raisons qui ont permis qu'elle prenne forme ?

R. — C'est une longue histoire, qui a son origine dans la tragédie de 1948. A cette époque, j'ai pensé aller continuer mes études aux États-Unis, car je souffrais beaucoup de ce qui

1. En 1917, le ministre britannique Balfour s'engage à permettre la création en Palestine d'un « foyer national pour le peuple juif », répondant ainsi aux sollicitations du mouvement sioniste qui prône le retour des Juifs de la diaspora en Israël.

venait de se passer dans mon pays. Ce qui, en fait, m'a empêché de partir, a été mon engagement dans la lutte égyptienne.

En 1950-1951, les Égyptiens ont entamé une résistance contre la présence britannique sur le Canal de Suez. En raison de ma participation à la guerre de Palestine[1], j'avais déjà une certaine expérience militaire, ce qui m'a permis de devenir membre du commandement du mouvement égyptien contre la présence des Britanniques sur le Canal.

J'étais responsable de tous les camps d'entraînement dans les universités : l'université du Caire (« Fouad »), celle d'Alexandrie (« Farouk »), celle d'Ain Sham's (« Ibrahim Pacha ») et encore celle d'El Azhar. Lorsque j'ai combattu sur le Canal, le centre était situé à Zaghazig. En 1956[2], lors de l'agression tripartite — France-Angleterre-Israël —, je fus enrôlé dans la direction d'Ali Ghaner, chef du front égyptien.

Q. — En quoi consistait votre action au sein du mouvement palestinien naissant ?

1. Guerre déclenchée au lendemain de la proclamation, le 14 mai 1948, de l'État d'Israël par Ben Gourion. Les armées régulières des pays arabes pénètrent en Palestine.

2. En 1956, en réponse à la nationalisation du Canal de Suez par Nasser, une intervention franco-britannique s'associe à une offensive israélienne dans le Sinaï.

R. — Lors de la révolution en Égypte[1], je connaissais tous les officiers en place ; j'étais responsable militaire. En 1952, j'ai été élu président des étudiants palestiniens. En 1953-54, j'ai fait la connaissance d'Abou Jihad[2]. C'est à partir de ce moment que nous avons pensé tous les deux à créer un mouvement palestinien. Mais Abou Jihad est parti en Arabie Saoudite, alors que je suis resté au Caire. Nous nous sommes rencontrés de nouveau en 1957, au Koweit, peu avant qu'Abou Jihad ne se marie[3]. La même année, en 1957, nous avons proclamé la création du Fatah, le mouvement de libération nationale palestinien. Cette appellation est significative : si l'on inverse les lettres, cela veut dire « la mort » en arabe. Nous étions prêts à mourir pour notre cause.

1. Le 23 juillet 1952, un groupe de militaires s'empare du pouvoir en Égypte en renversant le roi Farouk. Parmi eux, Gamal Abd el-Nasser.

2. Dit « Abou Jihad », Khalil Wazir est le plus ancien compagnon d'Arafat, devenu chef des opérations militaires dès la création du mouvement palestinien. Il a été assassiné le 16 avril 1988 à Tunis. Il était chargé de la liaison avec les Territoires occupés lorsque l'*Intifada* a commencé, en décembre 1987.

3. Abou Jihad a épousé Intissar Wazir, dite « Oum Jihad », la première femme à avoir exercé des responsabilités importantes au sein du mouvement palestinien. Elle est membre du Comité Central du Fatah, en charge des affaires sociales.

Les membres fondateurs du Fatah appartenaient à l'Union des Étudiants Palestiniens : Abou Jihad, Abou Iyad, Abou Saïd, Abou Loft, Abou Mazen. Il y avait aussi Ali Iyad, Abou Sabri, Abou Youssef An Najar et quelques autres.

Q. — Comment ce mouvement a-t-il été perçu dans le monde arabe, à un moment où la cause palestinienne était qualifiée de « partie intégrante » de la lutte des pays arabes contre Israël et « prise en charge » par ces mêmes pays ?

R. — Tous les pays arabes s'y sont opposés : ils ne voulaient pas que les Palestiniens aient une existence politique et ne souhaitaient pas voir l'émergence de personnalités nationales. D'ailleurs, chaque pays arabe possédait une partie des terres palestiniennes : la Syrie, les régions de Himha, Karwach et El-Odeysa ; le Liban, Metella Hounin ; l'Égypte, Gaza ; la Jordanie, la Cisjordanie. L'existence d'un mouvement spécifiquement palestinien était très difficile en raison de la position des pays arabes. Mais les relations que j'avais nouées lorsque j'étais en Égypte, sur le Canal, avec des responsables égyptiens comme Gamal Abd El Nasser, Mohieddine, Anouar Al Sadate — que j'ai connu avant son mariage avec Jihane —, m'ont aidé.

Q. — Quel pays a été le berceau du Fatah ? Lorsque vous l'avez créé avec Abou Jihad et vos autres compagnons, quel type de personnes ont figuré parmi les premiers adhérents ? Comment le mouvement fonctionnait-il à l'origine ?

R. — Le Fatah a été créé à Koweit. L'Union des Étudiants Palestiniens constituait le noyau du mouvement. La plupart des membres actuels du commandement de la révolution palestinienne ont été à l'origine membres de cette union. Notre première activité publique a été la création du journal *Notre Palestine*. En 1962, Abou Jihad et moi avons rencontré Mohamed Khidder, l'un des dirigeants du F.L.N. algérien. C'était un ami de mon frère Jamal. Celui-ci a été envoyé en Algérie pour ouvrir notre premier bureau. Abou Jihad l'a rejoint peu après et en est devenu responsable. C'était le premier bureau politique palestinien.

Q. — Quelles relations aviez-vous avec le F.L.N., autre mouvement de libération, mais agissant dans un contexte complètement différent ?

R. — Les relations entre le F.L.N. et le Fatah étaient excellentes. Le slogan du F.L.N. était le suivant : « Nous sommes avec la Palestine, à tort ou à raison ! » Mais il est vrai que la situation en Palestine avait des particularités :

le type de colonisation, l'occupation et la déportation, l'existence d'un mythe religieux...

Pour que l'on comprenne bien, il faut faire un retour en arrière. Un des objectifs des accords Sykes-Picot[1] était de diviser le pays de Cham en quatre pays : le Liban, la Syrie, la Palestine et la Jordanie. Mais, lorsque les sionistes sont arrivés, ils se sont concentrés en Palestine. Si cette terre n'avait formé qu'un seul pays, la tâche aurait été plus facile pour les Palestiniens, et plus dure pour les sionistes.

Q. — En 1964, l'Organisation de Libération de la Palestine[2] a été créée et elle a adopté une charte constitutive. Quelle était votre ligne politique générale ?

R. — En 1968, nous avons amendé notre Charte constitutive de 1964 en y apportant des modifications importantes. Nous avons imposé

1. Les accords Sykes-Picot attribuèrent en 1916 à la Grande-Bretagne et à la France la prédominance au Proche-Orient. La Grande-Bretagne n'entendit pas y jouer un rôle unificateur, mais d'arbitre.

2. L'O.L.P. a été créée en 1964 à l'instigation de la Ligue Arabe et était très liée à l'Égypte. Les États arabes ont instauré un organisme de libération dépourvu de souveraineté sur les territoires rattachés à la Jordanie, mais néanmoins compétent pour agir en tant qu'instance nationale dans les domaines militaire et financier.

l'idée d'un État démocratique, mais sans adopter quelque théorie marxiste ou autre. Ce que nous appelons « démocratie », c'est ce que l'on appelle dans les pays occidentaux « démocratie libérale ». C'était une innovation, car il n'existe pas de démocratie au sein des autres révolutions : aucune révolution n'a connu la démocratie. C'est pour cette raison que nous avons qualifié la nôtre de « démocratie au milieu de la jungle des fusils ».

Q. — Vous parlez d'innovation. De façon générale, l'O.L.P. est un mouvement atypique dans l'histoire des mouvements de libération nationale de l'après-guerre. Quelle est votre analyse de cette singularité ?

R. — Il y a des particularités de la révolution palestinienne qui sont dues aux conditions qui prévalaient tant à l'intérieur qu'à l'extérieur. En outre, nous n'avons adopté aucune des doctrines existantes dans le monde arabe. La révolution palestinienne est devenue une école de pensée politique à part entière, avec des idées nouvelles à tous les égards. Bien sûr, cela n'a pas été facile : nous avons dû ramer sur une mer très agitée.

Q. — Quand avez-vous été élu Président de l'O.L.P. ?

R. — En 1968, le Fatah a participé aux travaux du Conseil national de l'O.L.P. et j'ai été nommé porte-parole officiel du mouvement, dont le chef était alors Ahmed Choukeiri[1]. Puis j'ai accompagné Abd El Nasser en U.R.S.S. — le Président libanais Soleiman Frangié était là aussi — et, au début de l'année 1969, j'ai été élu Président de l'O.L.P.

Q. — C'est pendant cette même période — 1967-69 — que les autres grands mouvements palestiniens ont vu le jour. Comment avez-vous ressenti leur création ? Quels liens aviez-vous avec les autres groupes nationalistes ?

R. — Il existait d'autres mouvements dès avant 1967 : les « Héros du retour », le « Front de libération de la Palestine », entre autres. Il y en avait une dizaine. Après la bataille de Karameh[2], d'autres organisations ont été créées, et quand nous avons pris la direction de l'O.L.P., elles y ont été englobées.

Depuis le début, notre préoccupation essentielle était d'éviter une confrontation palestino-palestinienne. Lorsque des pro-

1. Avocat palestinien, longtemps fonctionnaire de la Ligue Arabe, désigné au cours de la Conférence d'Alexandrie, le 29 mai 1964, comme premier président de l'O.L.P.

2. En mars 1968, un attentat à la bombe est perpétré en Israël contre un autobus. Les Israéliens attaquent alors le village jordano-palestinien de Karameh et sont repoussés par les troupes jordaniennes et les feddayin du Fatah.

blèmes sont apparus, nous avons été en mesure de les résoudre. Le pluralisme a toujours existé au sein de l'organisation, et ce, dès le départ, en tenant compte des différentes « réalités » palestiniennes réparties à travers le monde.

Q. — Revenons un an en arrière, en 1968. Le 21 mars a lieu la bataille de Karameh, en Jordanie. C'était en fait la première fois que des Palestiniens armés se trouvaient face à face avec l'armée israélienne ?

R. — C'est la première victoire arabe, après la défaite de 1967, contre l'armée israélienne, et, pour nous, la première confrontation d'une telle envergure, c'est vrai. Mais il y avait déjà eu de nombreux affrontements à Jénine, Ramallah — où le capitaine Mojahid a trouvé la mort, — à Jérusalem, à Toubas, à El Khalil (Hebron). Moshe Dayan, alors ministre israélien de la Défense, fut interrogé sur la bataille de Karameh et sur l'émergence de la résistance palestinienne ; il répondit : « Quelle résistance ? C'est comme un œuf qu'on écrase dans sa main ». Dayan, qui tenait ce discours, a pourtant bel et bien été le vaincu de Karameh.

2.

Nasser et l'Égypte

Q. — Nasser a été le premier homme politique arabe que vous ayez rencontré. Il a joué un grand rôle dans les débuts du mouvement palestinien. Comment l'avez-vous connu ?

R. — J'ai connu le Président Nasser avant la révolution égyptienne de 1952. A cette époque, c'était l'un des militaires les plus compétents parmi les combattants égyptiens qui luttaient contre la puissance britannique sur le Canal de Suez. On retrouvait la plupart d'entre eux dans les universités égyptiennes.

A l'époque de l'occupation britannique sur le Canal, nous avions des contacts avec des officiers qui nous aidaient : ceci se passait bien entendu de manière clandestine.

Il existait alors plusieurs organisations au sein de l'armée ; la plus importante d'entre elles était celle des « Officiers libres[1] ». Le roi Farouk avait son propre groupe, qui se nommait les « Gardes de fer ». Il y avait aussi le « Wafd[2] » et, bien sûr, les Frères musulmans[3] qui faisaient partie de ces groupes de résistance au sein desquels ils exerçaient une influence importante.

Q. — Vous avez eu alors des contacts particulièrement étroits avec les Frères musulmans. On dit même que vous apparteniez à ce mouvement. Qu'en est-il ?

R. — Il est vrai que c'est de là que datent mes premiers contacts avec les Frères musulmans ; ils n'ont pas cessé jusqu'à maintenant. A cette époque, ceux-ci contrôlaient le mouvement estudiantin dans les universités égyptiennes. Les contacts avec les mouvements de résistance se faisaient aussi à travers certaines mosquées. Nasser pensait que j'appartenais au mouvement des Frères musulmans, mais cela est faux.

1. Les « officiers libres » prennent le pouvoir le 23 juillet 1952 et placent à la tête du mouvement le général Mohamed Néguib. Mais celui-ci ne possède que l'apparence du pouvoir ; le véritable chef est Gamal Abd El Nasser, qui lui succèdera.

2. Parti nationaliste égyptien.

3. L'association des Frères musulmans est fondée à Ismailiya (Égypte), en 1928, par Hassan el Banna. Son objectif : voir l'Islam régir la vie politique.

Q. — Que pensez-vous de l'idéologie des Frères musulmans ?

R. — Depuis l'apparition de l'Organisation et jusqu'à aujourd'hui, les Frères musulmans ont lutté pour la libération de la Palestine. Ils représentent le courant modéré du mouvement islamiste[1] ; ce ne sont pas des extrémistes, même si certains d'entre eux font parfois des déclarations qui peuvent le laisser croire.

Q. — Revenons, si vous le voulez bien, à l'Égypte et à Nasser.

R. — Parmi les officiers qui m'ont contacté, il y avait notamment Khaled Mohieddine, Kamal Eddine Abdel Hakim. C'est par eux que nous avons appris que Nasser faisait partie des « Officiers libres ». J'ai connu aussi à cette époque Anouar El Sadate, et j'ai eu des contacts avec lui. Quant à Nasser, si je savais qu'il faisait partie des Officiers libres, j'ignorais alors qu'il était responsable de ce groupe. Je l'ai rencontré par hasard.

C'est moi qui ai obtenu des autorité égyptiennes que les étudiants palestiniens de Gaza soient intégrés au sein du collège militaire

1. Les Frères musulmans sont le groupe le plus ancien. Ils se heurtent aujourd'hui à la concurrence de mouvements plus radicaux qui prônent la lutte armée.

égyptien. J'ai demandé cela au Président Néguib, qui était alors président d'honneur des étudiants palestiniens, et il a accepté. J'ai pu résoudre un certain nombre de problèmes grâce aux relations que j'avais nouées avec ces officiers.

Ces bonnes relations se poursuivent encore aujourd'hui avec certains de ceux qui font partie du gouvernement actuel, comme avec d'autres qui n'en font plus partie.

Q. — Comment se sont déroulés vos contacts avec Nasser lorsqu'il a pris le pouvoir ?

R. — Les problèmes ont commencé lorsque nous avons proclamé la création du Fatah et déclenché la lutte armée, car certains services craignaient que l'Égypte ne soit impliquée dans les opérations de notre Organisation. Nasser pensait d'autre part que le Fatah était soutenu par les Frères musulmans. Les services de sécurité égyptiens aussi. D'autres pays arabes estimaient d'ailleurs que le Fatah agissait en contradiction avec la stratégie officielle arabe.

Q. — N'y avait-il pas là, de la part des autorités égyptiennes, une volonté d'empêcher que le mouvement palestinien ne fût indépendant ?

R. — Non. La preuve en est que, lorsque nous avons eu des conversations directes avec Nasser et les autres responsables égyptiens, quand nous avons pu expliquer nos objectifs, les relations ont repris une bonne tonalité. Nasser disait même que la révolution palestinienne était la cause la plus noble du monde arabe.

C'est surtout après la défaite du Raïs en 1967 que nos relations ont évolué. Politiquement, la position du Fatah était en fait proche de celle d'Abd El Nasser. L'échec de 1967 n'a pas été un coup porté contre lui seul, mais contre la nation arabe toute entière. Les relations entre le Fatah et le Raïs se sont alors améliorées à tous les niveaux. A ce propos, il est important de souligner qu'après cette défaite de 1967, le Fatah a permis de combler le vide politique et militaire qu'a connu alors le monde arabe.

Q. — Malgré tout, c'est bien Nasser qui vous a fait emprisonner. Pourquoi ?

R. — A cause des contacts que j'entretenais avec les Frères musulmans, dont nous avons parlé. Lorsque des différends ont surgi entre Gamal Abd El Nasser et les Frères musulmans, mes relations avec ces derniers ont posé problème : Nasser m'a fait arrêter deux fois. Mais, à chaque fois, des amis, qui étaient d'ailleurs membres du commandement, sont intervenus pour obtenir ma libération : des gens tels qu'Abdel Hakim Amer ou d'autres officiers.

Q. — Votre première expérience de la prison a eu lieu en Égypte. Vous avez ensuite été incarcéré dans plusieurs autres pays arabes. Quelle incidence ces périodes ont-elles eu sur votre état d'esprit ? Qu'avez-vous ressenti ?

R. — En effet, c'est en Égypte que j'ai été arrêté pour la première fois. J'avais également été arrêté, à l'époque où j'étais étudiant, lors de manifestations, mais cela était dénué d'importance.

En ce qui concerne mes arrestations, je ne souhaite dénoncer personne. Quant aux séjours en prison, ils ne m'atteignaient pas, car j'ai toujours été convaincu que ma cause était juste. Ils n'ont jamais eu le moindre impact sur mon moral ; au contraire, ils renforçaient mes convictions. J'ai fait des séjours dans la plupart des geôles du monde arabe, et j'en suis fier.

Q. — Nasser, le grand leader nationaliste arabe, a marqué l'histoire de cette région du monde. Que diriez-vous de sa personnalité ?

R. — C'était une forte personnalité, très influente : c'était un combattant. Nasser était un homme qui n'était pas seulement égyptien, il était pan-arabe ; il ressentait fortement son appartenance au monde et à la nation arabes.

Que vous fussiez d'accord ou en désaccord avec lui, vous étiez obligé de le respecter. Malheureusement, certains Égyptiens le critiquent actuellement. Il n'empêche : Nasser reste Nasser.

3.

L'action clandestine à l'intérieur

Q. — En 1967, une concertation a eu lieu entre Abou Jihad et vous-même — les deux chefs les plus importants du Fatah — à propos de l'action à mener à l'intérieur de la Palestine. Vous avez choisi d'aller à l'intérieur, tandis que votre bras droit s'occuperait des opérations extérieures. Pourquoi ? Pouvez-vous parler de votre rôle d'organisateur ? C'est important, car peu de gens connaissent cette période de votre vie. Vous êtes perçu avant tout comme l'homme de l'extérieur.

R. — Il y a eu effectivement de nombreuses discussions au sein du Fatah et des autres organisations palestiniennes pour la répartition des responsabilités.

Lorsque les opérations militaires palestiniennes contre les forces israéliennes ont commencé à l'intérieur, des différends sont apparus entre nous et quelques gouvernements arabes, car ces derniers, craignant les réactions israéliennes, en étaient effrayés. Notre réponse a été la suivante : notre pays a été occupé, nous avons le droit et le devoir de résister à l'occupant, et personne ne peut s'opposer à cela.

Pour ma part, je suis rentré dans les Territoires occupés deux mois après l'occupation de Jérusalem[1] ; c'était durant l'été 1967. J'ai alors choisi un slogan : « Il faut utiliser tous les moyens disponibles pour combattre l'occupant, pas seulement les mots ».

Je suis fier de dire que j'ai créé les bases essentielles, les points d'appui de la résistance dans les Territoires occupés. Les dates du 24 et du 26 août 1967 sont considérées comme marquant le début de la résistance palestinienne contre l'occupation israélienne. C'est une longue histoire...

J'ai organisé les Territoires occupés en deux régions : Gaza et la Cisjordanie. Chacune avait un commandement en chef avec lequel j'étais en relation directe. Les autorités israéliennes ont découvert ma présence et ont

1. A l'issue de la guerre de 1967, Israël occupe la Cisjordanie, Gaza, le Golan, le Sinaï et Jérusalem.

distribué ma photo à tous les barrages. Mais quand je me présentais à un barrage, les Israéliens ne me reconnaissaient pas : je portais des vêtements de paysan et c'est à cette occasion que j'ai utilisé pour la première fois le *keffieh*[1].

Je me faisais appeler Cheikh Mohammed. Je me déguisais aussi en prêtre, sous le nom de Frère Georges ou de Frère Hanna...

Une fois, les Israéliens ont appris que je me trouvais dans la vieille ville de Jérusalem ; ils ont bloqué tous les accès, mais j'ai réussi à sortir, accompagné de la femme d'un militant, en portant son bébé dans les bras.

Une autre fois, j'étais dans la voiture de mon ami Abou Firas ; sous un des sièges, il y avait des armes. Nous avons emmené sa fille, qui m'est très chère, je l'ai prise sur mes genoux et nous avons pu ainsi franchir le barrage de Ramallah.

Je considère que j'ai un sixième sens : je sens le danger. A plusieurs reprises, j'ai quitté un endroit une heure ou une demi-heure avant d'être arrêté, les Israéliens m'ayant repéré.

J'ai beaucoup de souvenirs de cette époque...

1. Coiffure habituelle des Bédouins, devenue le symbole de la résistance palestinienne. Yasser Arafat ne s'en sépare jamais.

J'ai rencontré pour la première fois la présidente de l'Union des Femmes palestiniennes dans les Territoires occupés. J'avais coutume d'aller voir à Naplouse Madame Issam Abd El Hadi, qui rassemblait de la nourriture, des vêtements pour les combattants.

Avoir ainsi passé un moment de ma vie dans les Territoires occupés m'a beaucoup facilité les choses quand il a fallu commander les opérations de résistance. Il ne s'agissait pas seulement d'organiser la lutte, mais d'établir des contacts politiques avec les dirigeants palestiniens. Certains pensaient que j'étais un officier égyptien envoyé par Abd El Nasser, à cause de mon accent égyptien ! A cette époque, il est vrai qu'Abd El Nasser représentait beaucoup pour le peuple palestinien — c'était la grande figure du nationalisme arabe —, et ils pensaient que le Raïs leur avait envoyé un officier de haut rang !

De nombreuses réunions étaient organisées avec l'Union des Femmes, les syndicats et des personnalités comme le grand poète martyr palestinien Kamal Nasser.

La période la plus dure que j'aie vécue, c'est lorsque j'étais à Jérusalem. Une fois, ma tante se tenait devant sa maison située près de la porte des Marocains. Une unité de soldats israéliens se trouvait là. Nos regards se sont croisés, à moins de vingt mètres. J'ai tenté de dissimuler mon visage pour qu'elle ne me reconnaisse pas ; autrement, les soldats israéliens m'auraient arrêté. Cette scène se passait à quinze mètres de la mosquée d'El Haram.

(Yasser Arafat montre l'endroit sur une immense photo de Jérusalem collée sur tout un pan du mur de la grande salle de réunion où nous nous trouvons).

Q. — Vous venez d'évoquer Jérusalem. Vous y avez passé votre enfance. Dans quelles circonstances avez-vous quitté vos parents ?

R. — Mon père était commerçant et faisait la navette entre Jérusalem, Gaza et Le Caire. C'est pour cette raison que j'ai passé mon enfance à Jérusalem, dans la famille de ma mère, qui était une famille très religieuse, avec mon frère Fathi, chez mon oncle maternel. Durant la deuxième moitié de la Seconde Guerre mondiale, je suis allé au Caire rejoindre mon père, car ma mère est morte lorsque j'étais encore très jeune.

Vous êtes la première personne qui réussit à me faire parler de choses personnelles ! En principe, je ne parle jamais de ce genre de choses.

4.

L'O.L.P. à Beyrouth

Q. — Après les événements de septembre 1970 en Jordanie, vous vous êtes installé au Liban. Très rapidement, vous avez eu des problèmes avec les Libanais, puis avec les Israéliens. Comment se sont passées vos premières années au Liban ?

R. — Quand j'ai quitté Amman en 1971, j'ai repris une formule utilisée par le Calife Omar : « Les montagnes, les montagnes, les montagnes, les montagnes ! » Il l'a dit à l'un de ses seconds qui se trouvait dans une situation militaire critique. J'ai suivi ce conseil. Les montagnes étaient le seul endroit où nous pouvions aller. Nous y avons passé plusieurs années. Nous y sommes notamment restés en 1972 et 1973. En ce qui concerne la réglementation de la présence palestinienne au Liban, vous connaissez les accords du Caire[1] de 1969, puis les décisions de la Conférence de Riyad[2].

Q. — Plus de dix mille Palestiniens ont quitté le Liban en 1982. La décennie 70 a été cruciale pour le mouvement palestinien. Comment qualifieriez-vous cette période ?

R. — Cette période est l'une de plus importantes de l'histoire de la révolution palestinienne. Depuis lors, nous demeurons attentifs à la sécurité, à la stabilité et à l'avenir du Liban, y compris par le retrait israélien du Sud Liban.

Q. — Les Syriens aussi sont implantés au Liban. Et ce, depuis 1976, donc bien avant 1983 et le siège de Tripoli, qu'ils ont orchestré avec les dissidents palestiniens. Vous avez eu de

1. L'Accord du Caire, signé le 3 novembre 1969 entre le commandant en chef de l'armée libanaise, Émile Boustany, et Yasser Arafat, règlemente la présence des Palestiniens sur le sol libanais. Il donne « l'autorisation aux Palestiniens résidant au Liban de participer à la révolution palestinienne par le biais de la lutte armée », mais, d'autre part, il rappelle que « les autorités libanaises, civiles et militaires, continueront à exercer leurs complètes attributions et responsabilités dans toutes les régions libanaises et en toutes circonstances ».

2. Sommet restreint de Riyad, en octobre 1976, au cours duquel la solution syrienne au problème libanais est entérinée : elle confirme les droits acquis par l'Accord du Caire de 1969 et se présente donc comme une sauvegarde pour l'O.L.P.

très mauvaises relations avec eux, n'est-ce pas ?

R. — Nos relations avec les Syriens ont été délicates... Mais nous avons veillé sur l'« économie » libanaise. Nos forces, en 1976, puis pendant le siège de Beyrouth en 1982, ont protégé la Banque Centrale libanaise et les réserves d'or des Libanais. Nous avons préservé la stabilité du Liban. Y a-t-il eu une seule personne kidnappée lorsque nous étions au Liban ? Y a-t-il eu une seule atteinte à une ambassade étrangère quand nous y étions ? Bien sûr, il y a eu quelques problèmes, mais nous les avons systématiquement et immédiatement réglés. Bien sûr, certaines personnes ont eu des difficultés, mais nous les avons toujours résolues.

Lorsque nous avons eu des problèmes avec les phalangistes, Beyrouth-Ouest était plein de chrétiens. Le Sud également, de Jezine à Saïda. Ce sont des choses dont nous sommes fiers. Nous avons également protégé les Juifs pendant le siège de Beyrouth. Vous le saviez ?

Aujourd'hui, nous n'avons aucun problème avec les Libanais, de quelque bord qu'ils soient. Bien au contraire, nous sommes en bonne entente avec eux.

Q. — Vous aviez déjà eu une action militaire au Liban, en 1973 ?

R. — C'est en 1973 que nous avons formé le « troisième front » au Liban, pendant la guerre d'Octobre. Israël a mis l'accent là-dessus. Israël a tenu à ce qu'il soit affirmé qu'il y avait des forces « régulières » et « irrégulières ». Il est très important de rappeler que nous sommes les seuls à avoir libéré alors un territoire d'environ 300 km^2, Djabl el Sheikh. Et cette portion de territoire est restée entre nos mains jusqu'à ce que nous ayons eu des problèmes avec les Syriens, en 1976.

Q. — Lors de l'invasion israélienne de 1978, connue sous le nom d'« Opération Litani », les Palestiniens se sont battus seuls contre Israël. C'était la première confrontation de cette ampleur et de cette durée — une dizaine de jours — avec l'armée israélienne ?

R. — Les Israéliens n'ont pu nous vaincre. Ce n'était pas notre première confrontation avec les Israéliens dans le « Fatahland ». Il s'agissait bien d'une attaque de la part de l'armée israélienne régulière. J'y étais. A ce moment-là, Ezeir Weizman était ministre de la Défense. Ce fut une rude bataille.

En 1981, une autre bataille a eu lieu entre nos forces et les forces israéliennes. Les troupes palestiniennes ont utilisé pour la première fois l'ordinateur, comme les Israéliens. Nous étions parmi les premières forces arabes à utiliser l'informatique...

Cette action a servi d'opération exploratoire pour la suivante, qui s'est déroulée en 1982.

Q. — Oui, venons-en au siège de Beyrouth de 1982. Aviez-vous prévu l'invasion israélienne du Liban ?

R. — Oui, cela devait avoir lieu au mois de mars, je l'avais d'ailleurs annoncé publiquement. Je le savais.

Q. — Comment l'O.L.P. était-elle organisée pendant le siège de Beyrouth ?

R. — Les Israéliens ont voulu frapper l'O.L.P. en allant jusqu'à Beyrouth. Pendant le siège, nous avions la meilleure administration, des moyens de communications très sophistiqués, et un excellent moral. Nous avons établi une administration civile qui a très bien fonctionné. Lorsque nous nous sommes rendus compte que nous manquions d'eau, nous avons creusé dix-huit puits. Nous avons fabriqué des fours à pain. C'étaient les étudiants de l'Université qui supervisaient tout cela.

Q. — Vous-même, comment viviez-vous à ce moment-là ? On dit que vous ne vous arrêtiez jamais à un point fixe, que vous tourniez en voiture dans Beyrouth ?

R. — Ce n'est pas à moi de le dire ; mes amis vous en parleront. Sur le fond des choses, les Israéliens avaient imaginé qu'en quelques jours, cinq au maximum, ils pourraient en finir avec nous. En fait, le siège de Beyrouth a duré quatre-vingt huit jours. Ils ont dû utiliser les trois quarts de l'ensemble de leurs forces armées, en plus de l'aide des Américains — la VIe Flotte américaine.

La vie a été très difficile à Beyrouth pendant le siège. Nous avons perdu plus de soixante-douze mille personnes. Notre victoire réside dans le fait que la petite force des Palestiniens a pu faire face à l'énorme force américano-israélienne. Au cours des batailles précédentes, il y avait toujours eu un héros parmi les généraux israéliens, ils étaient en compétition les uns avec les autres. Cette fois, il n'y a pas eu de héros. Personne n'a tiré gloire de ce qui s'est passé, mais bien plutôt de la honte.

Q. — Vous avez fait nombre de déclarations pendant le siège de Beyrouth ; vous avez notamment répondu à Sharon, qui vous demandait de vous rendre, par une phrase célèbre. Pouvez-vous la répéter ?

R. — J'ai dit beaucoup de choses pendant ce long siège. Oui, beaucoup... La phrase que vous évoquez est la suivante : « Ils veulent que nous nous rendions, mais nous ne nous rendrons jamais. Je vois déjà les portes du Paradis. »

Autre chose : un des plus cocasses communiqués militaires israéliens a été diffusé le 4 août : leurs forces avaient progressé de *dix mètres* à la fin de la journée, ce qui est moins que la longueur d'un char ! Le cas est resté célèbre...

Si je suis parti, c'est parce que mes amis libanais m'ont demandé de quitter Beyrouth ; ils en avaient assez de se faire tuer. L'un d'eux m'a demandé si je pouvais compter sur un soutien arabe ou international pour continuer. Je lui ai répondu que non.

Ainsi les Palestiniens — avec les Libanais — défendaient une capitale arabe, Beyrouth. Nous affrontions le feu venu du ciel, de la mer, de la terre, de partout. Au cours de cette période, j'aurais aimé que Beyrouth fût une ville palestinienne, pour que personne ne puisse m'en faire partir.

Q. — Après plus de quatre-vingt-huit jours de siège, vous avez dû évacuer Beyrouth. Votre guerre du Liban était terminée. Plus de dix mille Palestiniens sont partis, essentiellement à destination des pays arabes, grâce à l'envoi d'une force multinationale. Comment avez-vous négocié ce départ ? Qu'avez-vous ressenti à ce moment-là ?

R. — Les négociations ont été longues et difficiles. Lorsque les choses devenaient trop compliquées entre nous, Philip Habib[1] s'absentait, partait pour l'Italie ou tel autre pays d'Europe, et il laissait les Israéliens ouvrir le feu contre nous de tous côtés : par mer, terre, air. Il croyait que cela nous affaiblirait. Mais lorsqu'il revenait, il nous retrouvait au même endroit. Il avait coutume de dire au médiateur libanais Saeb Sallaam, ancien premier ministre du Liban, et au Premier ministre de l'époque, Chafiq el Wazzan : « Mais ils n'ont pas bougé !... » Saeb Sallaam lui répondait : « Vous ne les connaissez pas ! » Les Palestiniens n'ont pas peur de la mort. Menahem Begin lui-même, compte tenu de notre résistance, a été obligé de dire : « Qui assiège qui ? Est-ce que c'est moi qui assiège Beyrouth ou est-ce que c'est Arafat qui assiège Tel Aviv ? » Je lui ai répondu : « J'assiège toutes les capitales ».

1. Envoyé spécial du Président Reagan au Moyen Orient.

Pour revenir à l'évacuation, nous ne pouvions pas faire autrement : nous sommes allés une nouvelle fois d'un endroit à un autre. Beyrouth n'est pas la capitale de la Palestine.

Q. — Où êtes-vous allé tout de suite après ?

R. — Ensuite, je suis allé à Moscou où j'ai rencontré Andropov, avec qui j'ai eu une importante discussion. Lorsqu'il m'a demandé où j'allais après Beyrouth, je lui ai répondu : « Chez moi, en Palestine. » Sur le moment, il n'a pas compris ce que je voulais dire.

Lorsque, plus tard, j'ai rencontré à Moscou le Président Gorbatchev, en 1988, après que l'*Intifada* se fut déclenchée, je lui ai rappelé que j'avais dit à Andropov que j'allais aller chez moi en Palestine. De fait, après ce départ de Beyrouth, la cause palestinienne continuait d'exister.

Mais les Américains voulaient se dérober à ce qui avait été convenu entre nous, à travers l'accord que j'avais signé avec Philip Habib au temps où il représentait le Président des États-Unis[1].

1. Après le départ de Yasser Arafat de Beyrouth, le Président Reagan affirme au cours d'une allocution télévisée : « Les États-Unis ne soutiendront (...) ni l'instauration d'un État palestinien indépendant, ni une initiative de la part d'Israël visant à l'annexion de cette zone ou à l'exercice d'une domination permanente sur celle-ci. »

Q. — Vous êtes revenu à Tripoli l'année suivante, dans des conditions fort difficiles, pour contrer la « révolution des colonels[1] », dont le leader était Abou Moussa, et les Syriens qui le soutenaient. Pourquoi êtes-vous revenu, et comment analysez-vous cette bataille ?

R. — Je suis revenu à Tripoli à bord d'une barque ; quelques-uns de mes amis étaient avec moi.

Pourquoi suis-je allé à Tripoli ? Pour protéger les autres camps palestiniens. A travers les combats qui s'y sont déroulés, on a pu voir que les dissidents palestiniens n'étaient pas seuls présents. Il s'agissait d'une affaire entre moi-même, d'une part, et les Syriens, les Libyens et les dissidents, d'autre part. En fait, tout le monde utilisait ces derniers dans son propre intérêt. C'est important, car si la bataille n'avait pas eu lieu, tout le monde aurait dit que les Palestiniens étaient seuls responsables des événements du Liban.

Ce fut un rude combat. Nous avons supporté un siège total : blocus maritime et

1. « Révolte des colonels » dirigée en mai 1983 par Abou Moussa — exclu du Fatah en janvier 1984 — contre Yasser Arafat. Ce mouvement a été créé, puis soutenu par les Syriens.

aérien de la part des Israéliens, blocus terrestre de la part des autres. Tripoli est une petite ville, il était difficile de trouver un refuge alors que les bombes pleuvaient partout sans relâche. La bataille a duré plus d'un mois.

Q. — A l'issue des combats, vous vous êtes rendu au Caire, puis à Athènes. Pourquoi ?

R. — Je suis allé au Caire pour essayer de modifier l'échiquier politique arabe. Je me suis aussi rendu à Athènes où j'ai rencontré mon ami Papandréou, qui m'a accueilli très chaleureusement. Cela n'aurait pas été le cas en beaucoup d'autres endroits... C'était aussi dans le but de faire comprendre aux jeunes générations, nos forces vives, qu'il fallait continuer la lutte.

Q. — Qu'avez-vous ressenti lors des massacres de Sabra et Chatila ?

R. — C'est trop douloureux. Je préfère ne pas en parler.

Q. — Abou Moussa[1] et Ahmed Jibril[2], qui furent vos ennemis à Tripoli, ont demandé à réintégrer l'O.L.P. Que décidez-vous ?

R. — Qui est Abou Moussa ? Où est-il ? Les

1. Abou Moussa est le chef des dissidents palestiniens inféodés aux Syriens, qui provoquèrent la bataille de Tripoli.
2. Ahmed Jibril est le chef du F.D.L.P.-Commandement général, groupe inféodé à Damas.

médias ont accordé une trop grande importance à Abou Moussa. Les fronts peuvent rejoindre l'O.L.P., mais pas Ahmed Jibril, car il a pris part à la sécession des camps du nord de Tripoli.

5.

Le tournant des années 70. Guerre du Kippour. Arafat aux Nations Unies.

Q. — Revenons à octobre 1973 : la Guerre d'Octobre[1], dernière guerre israélo-arabe, menée sans la Jordanie, est encore gagnée par Israël. Quelle fut la participation de l'O.L.P. aux combats ?

R. — Trois forces ont participé à cette guerre : l'Égypte, la Syrie et l'O.L.P. Les autres forces arabes participantes n'ont été que des forces d'appoint. C'est pourquoi, lors des sommets arabes d'Alger, en 1973, et de Rabat, en 1974, on a considéré qu'il y avait eu deux niveaux d'engagement : les forces militaires engagées

1. En octobre 1973 a lieu, à l'initiative de l'Égypte, la dernière guerre israélo-arabe, sans participation jordanienne. Également dite « guerre du Kippour », elle se conclut par une victoire israélienne, suivie d'un embargo pétrolier.

dans la guerre, et les États qui apportaient leur soutien. La Jordanie, l'Irak, l'Algérie faisaient partie du deuxième groupe.

Les forces palestiniennes ont participé aux combats sur quatre fronts : le front syrien, avec l'armée syrienne ; le front égyptien, aux côtés de l'armée égyptienne ; le front libanais, où elles étaient seules engagées ; et le « quatrième front », celui de l'intérieur, avec les Palestiniens de l'intérieur.

Nous avons libéré des portions de territoire : la région de Jebel El Cheikh, par exemple, d'une superficie de 300 à 400 km^2. Nous y sommes restés présents jusqu'en 1976, date de notre différend avec les Syriens. Bien que nous constituions une petite force, nous avons pu libérer cette région et nous avons accompli notre devoir sur tous les autres fronts. Et cela, au prix de lourdes pertes humaines.

Q. — Le Sommet d'Alger et celui de Rabat ont eu lieu peu après la guerre de 1973. L'O.L.P. y a été « consacrée ». Comment le consensus arabe a-t-il été possible sur cette question ? Y a-t-il eu des « négociations » préliminaires entre vous et vos partenaires arabes ?

R. — Non. Nous avons obtenu cela par notre participation active à la guerre d'Octobre. C'est pourquoi le sommet arabe de 1974 à

Rabat a réaffirmé la déclaration d'Alger de 1973, selon laquelle l'O.L.P. est seule représentante des Palestiniens, et dans laquelle notre droit d'instaurer un État indépendant se trouve reconnu.

Q. — En 1968, le Fatah avait proposé la création d'un État laïc et démocratique en Palestine. Comment ce concept a-t-il vu le jour ?

R. — Dès la création du Fatah, nous avions refusé plusieurs slogans, et notamment celui des nationalistes arabes[1] : « Vengeance, fer et feu ». Nous avions également refusé celui qui prônait de jeter les Juifs à la mer. Nous avons toujours été partisans d'une solution conforme aux droits de l'homme. C'est pourquoi, en 1969, nous avons proposé la devise : « Fraternité, liberté, égalité », reprise de la Révolution française. Dans notre programme politique de 1969, nous avons proposé la création d'un État démocratique où chrétiens, musulmans et juifs pourraient vivre égaux.

Q. — 1974 est une année charnière à maints égards ; elle est très riche en événements. C'est le moment où l'O.L.P., lors de son Conseil national, définit sa politique des

1. Le Mouvement Nationaliste Arabe est né au début des années 50. Georges Habache le dirigeait, jusqu'à ce que, faisant scission, il crée le F.P.L.P.

« étapes », qui marque le début de l'option politique modérée.

R. — Dès 1974, nous avons déclaré que nous étions prêts à établir notre État sur toute portion de territoire libéré.

Q. — En novembre 1974, vous êtes invité à participer à la session de l'Assemblée générale des Nations Unies, et votre célébrité en est accrue. Comme y êtes-vous parvenu ?

R. — Très simplement. C'était l'apogée de la période palestino-arabe, et le moment où le prix du pétrole a augmenté à la suite de l'embargo décidé après la guerre d'Octobre. La décision a été prise au cours du sommet arabe de Rabat : je devais me rendre à l'O.N.U. avec le Président libanais, choisi par les membres du sommet pour représenter ce sommet arabe aux Nations Unies.

Je suis allé à l'O.N.U. avec le symbole du rameau d'olivier dans la main, et une arme dans l'autre pour protéger ce rameau.

J'ai fait devant l'Assemblée générale des Nations Unies le discours que vous connaissez. Tout autour, il y avait des manifestants. A ceux qui scandaient le fameux slogan inscrit sur leurs pancartes : « *Arafat, go home !* », j'ai répondu que j'étais justement venu aux Nations Unies pour cela, parce que je voulais rentrer chez moi.

Q. — Avant votre voyage aux Nations Unies, vous aviez déjà eu des contacts —, non-officiels, bien sûr — avec les Américains. Quel rôle a joué en l'occurence Abou Hassan Salameh[1] ? Par qui et pourquoi a-t-il été assassiné à Beyrouth en 1979 ?

R. — Les Israéliens l'ont assassiné pour plusieurs raisons. Lors de ma visite à l'O.N.U., en 1974, c'est Abou Hassan Salameh qui a préparé mon voyage avec les responsables américains pour tout ce qui touchait à la sécurité. Il commençait à créer un « lien » entre les Américains et nous. A cette époque, d'ailleurs, Khaled El Hassan et notre martyr Majed Abou Sharrar étaient au Maroc avec Vernon Walters.

Il y avait deux raisons à ce meurtre commis par les Israéliens : d'abord, ils voulaient se venger de la visite que j'avais effectuée aux Nations Unies ; ils voulaient également briser le dialogue que nous avions amorcé avec les Américains.

Je vais vous révéler quelque chose : après tous ces succès politiques et militaires, à la fin de l'année — le 15 décembre 1974 — je

1. Membre du Fatah, chargé de missions spéciales ; il devient, à la demande de Yasser Arafat, l'interlocuteur privilégié des officiels américains.

suis allé rendre visite à Tito. Il n'était pas à Belgrade, mais dans sa résidence d'été, près de la frontière autrichienne. Tito m'a alors raconté que, quelques jours auparavant, Henry Kissinger était là, avec lui, et qu'il était effrayé des succès remportés par les Palestiniens, des décisions du sommet de Rabat qui avaient bouleversé ses prévisions. Il a ajouté qu'il n'y avait pas d'autre solution que la balkanisation de la région. Tito m'a prévenu et m'a conseillé d'être prudent : Kissinger avait menacé la région de balkanisation.

Comme vous le savez, ce phénomène a commencé au Liban trois mois plus tard, avec l'assassinat de Maarouf Saad[1]. Les événements du Liban ont donc éclaté, puis ils ont contaminé toute la région, et ce, sans répit jusqu'à aujourd'hui.

J'ai aussitôt informé tous les dirigeants arabes de ce que Tito m'avait raconté ce jour-là.

Ensuite, il y a eu la préparation de la Conférence de Genève[2] ; l'O.L.P. y participait au sein de la délégation arabe.

1. Député de Saïda, tué par l'armée en février 1975 au cours d'une manifestation de protestation sociale.

2. Conformément à la résolution 338 de l'O.N.U. adoptée le 22 octobre 1973, une conférence de la paix se réunit à Genève en présence des États-Unis, de l'U.R.S.S., de l'Égypte, de la

Ceci a été accepté par un communiqué commun égypto-américain, ainsi que par un communiqué américano-soviétique en septembre 1977[1]. C'est donc en 1977 que les États-Unis ont accepté pour la première fois la reconnaissance des droits des Palestiniens, et reconnu implicitement leurs représentants. Dans le communiqué égypto-américain, il était mentionné clairement que la délégation arabe comprenait l'O.L.P. Cela est important : il s'agissait d'un communiqué officiel. Nous avons alors choisi trois docteurs : Edward Saïd, Hatem Husseini, Ibrahim Abou Logod, qui ont d'ailleurs tous trois la nationalité américaine.

Jordanie et d'Israël — la Syrie, invitée, a refusé d'y participer — sous la présidence du Secrétaire général de l'O.N.U.

1. En 1977, une déclaration commune soviéto-américaine appelle à une reprise de la conférence de Genève.

6.

Camp David et les plans de paix

Q. — Anouar Al Sadate, successeur de Nasser, a bouleversé le cours des relations israélo-arabes en prenant la décision, en 1977, de se rendre à Jérusalem. Vous y attendiez-vous ?

R. — Non, je ne m'y attendais absolument pas ; j'ai été totalement surpris. Surtout qu'à ce moment-là, j'avais entrepris une médiation entre Sadate et Kadhafi pour réconcilier l'Égypte et la Libye. Je venais donc de Tripoli et arrivais au Caire avec des propositions que je comptais transmettre à Sadate de la part du Président libyen. Sadate faisait justement son discours devant le Parlement égyptien. Ma surprise a été grande lorsque je l'ai entendu dire qu'il était prêt à se rendre en Israël.

Q. — Lui avez-vous demandé des éclaircissements sur ce projet, en avez-vous discuté avec lui ? A partir du moment où il s'est rendu à Jérusalem, avez-vous maintenu des contacts officieux ou secrets avec le gouvernement égyptien ?

R. — J'en ai discuté avec lui, bien sûr, mais il ne m'a pas expliqué le sens de sa démarche.

De 1977 à 1983, date de ma rencontre avec le Président Hosni Moubarak, aucun contact n'a eu lieu ; je n'ai plus eu du tout de relations avec le gouvernement égyptien.

Q. — Les accords de Camp David de 1978[1] et le traité de Washington signé entre Israël et l'Égypte en 1979 ont été unanimement condamnés par le monde arabe. L'Égypte s'est retrouvée au ban de la Ligue arabe. Personnellement, qu'est-ce qui vous a le plus choqué dans cette paix séparée ?

R. — Le point le plus important pour nous est que les droits des Palestiniens étaient niés à partir du moment où Sadate se rendait à Jérusalem.

Q. — Camp David s'est tenu sous la houlette

1. Signature par Anouar el-Sadate et Menahem Begin, le 17 septembre 1978 — en présence de Jimmy Carter, président des États-Unis — de deux accords-cadres. L'un concernait la conclusion d'un traité de paix, signé par l'Égypte et Israël le 26 mars 1979. L'autre fixait un cadre pour la paix au Proche-Orient.

du Président Carter. Vous l'avez rencontré à Paris[1], douze ans plus tard. Quel a été votre sentiment ?

R. — Jimmy Carter est un homme de foi et je crois qu'il fait le maximum pour nous aider. Ce qui s'est passé à Camp David allait à l'encontre de ses intentions profondes. Lorsque je l'ai rencontré à Paris, il m'a dit qu'il ferait tout son possible pour que nous recouvrions nos droits, précisément ceux que nous avons perdus à cause de Camp David

Q. — Quelle est votre analyse de la politique intransigeante d'Itzhak Shamir ?

R. — Shamir est « Monsieur Non ». Sa politique est totalement soutenue par Washington, à tous les niveaux — diplomatique, économique, politique et militaire —, ainsi que par les médias américains. Le phénomène n'est pas nouveau : il en allait déjà de même au temps de Menahem Begin[2]. Begin était soutenu par Henry Kissinger ; aujourd'hui,

1. Jimmy Carter, au cours d'un bref séjour à Paris, le 4 avril 1990, s'est entretenu avec Yasser Arafat. L'entretien a été précédé d'une rencontre des deux personnalités avec le Président Mitterrand à l'Élysée.

2. Menahem Begin, dirigeant de la droite israélienne, a mené celle-ci au pouvoir pour la première fois en 1977. Il exerce la charge de Premier ministre jusqu'à sa démission en 1983, après la guerre du Liban.

Shamir a l'appui des « disciples » de Kissinger au département d'État.

Q. — On connaît le soutien économique massif qu'apportent les États-Unis à Israël, sans lequel l'État hébreu ne pourrait probablement pas se maintenir. Comment expliquez-vous qu'Israël, dépendant des États-Unis sur le plan financier, conserve une large marge d'indépendance dans son processus de décision politique ?

R. — Il n'y a là aucune indépendance de décision politique. Il ne fait aucun doute que ce sont les Américains qui influent directement sur la politique israélienne. Il s'agit en réalité d'un jeu politique destiné à couvrir les décisions prises par l'Administration américaine. Golda Meir[1], figure fondatrice de l'État d'Israël, l'a reconnu ouvertement : « Les États-Unis sont le Dieu d'Israël ». D'ailleurs, en 1973, Israël a subi une défaite, mais les États-Unis ont organisé un pont militaire aérien pour les sortir d'affaire. Cela, sous la pression du lobby juif.

Une autre affaire, bien plus ancienne, est également exemplaire de l'alignement d'Israël

1. Un des fondateurs de l'État d'Israël, Golda Meir fut ministre des Affaires étrangères de 1956 à 1966, avant de devenir Premier ministre en 1969. Elle démissionna en avril 1974.

sur les États-Unis. En 1956, l'ancien Président des États-Unis, Eisenhower, a donné l'ordre aux Israéliens d'évacuer l'Égypte, et ils se sont exécutés. Les deux autres puissances présentes — la France et la Grande-Bretagne — ont d'ailleurs également obtempéré.

Q. — Que pensez-vous des votes américains aux Nations Unies à propos de tout ce qui concerne le conflit israélo-palestinien ?

R. — L'année dernière, en 1989, les États-Unis ont utilisé à six reprises leur droit de veto. Quant au Congrès de Washington, il est allé à l'encontre de la politique du Président américain[1] sur le choix de Jérusalem comme capitale de l'État hébreu. C'est la première fois dans l'histoire de l'humanité que le Congrès d'un pays tiers décide du choix de la capitale d'un autre pays ! Et ce, malgré toutes les résolutions des Nations Unies.

Il faut également mesurer l'ampleur de l'aide américaine à l'État d'Israël ; elle s'élève à quatre milliards de dollars par an si l'on s'en tient aux chiffres officiels. S'y ajoutent six milliards de dollars d'aide indirecte. Ce n'est pas moi, encore une fois, qui donne ces

1. Le Président Reagan se montrait très prudent sur cette question.

chiffres, mais un ancien responsable du Proche-Orient au Département d'État. Cela signifie que chaque enfant israélien est doté de trois mille dollars à sa naissance, lesquels seront renouvelés chaque année. N'oublions pas que ce sont les citoyens américains qui financent tout cela par leurs impôts, alors que beaucoup d'entre eux ne disposent pas eux-mêmes d'une pareille somme dans leur pays.

Q. — Si, comme vous le dites, ce sont les États-Unis qui dictent la politique israélienne, à quoi vous sert-il de dialoguer plus ou moins officieusement avec les Israéliens ?

R. — Si je discute avec les Israéliens, c'est parce que ce sont mes adversaires. Si je veux la paix — et c'est le cas —, il me faut discuter avec eux. Et si j'ai entamé le dialogue avec les Américains, c'est bien parce qu'ils sont les inspirateurs de la politique israélienne. En fait, actuellement, ce sont les Américains qui parlent au nom des Israéliens.

Q. — Justement, après la proclamation d'un État palestinien indépendant en novembre 1988 à Alger[1], laquelle s'accompagna d'une déclaration dans laquelle vous reconnaissiez

1. Un État Palestinien indépendant est proclamé au cours du 19e Conseil national Palestinien, à Alger.

les résolutions 242 et 338 des Nations Unies[1], et d'une autre par laquelle vous renonciez au terrorisme, un dialogue s'est instauré à Tunis entre Américains et Palestiniens. Vous estimiez que le niveau de représentation y était trop bas[2], et ses résultats fort décevants. Qu'en attendiez-vous ? Existe-t-il aujourd'hui un autre dialogue, non officiel, entre les États-Unis et vous ?

R. — Non, il n'y a pas d'autre dialogue que celui qui a lieu officiellement dans le cadre des Nations Unies.

En ce qui concerne les contacts de Tunis, je n'en attendais rien, mais j'estimais qu'il ne fallait pas les arrêter pour l'instant, il fallait les poursuivre.

Ce dialogue dépend avant tout des États-Unis, mais ceux-ci ne veulent pas le développer pour le moment, afin de permettre aux Israéliens de continuer à combattre l'*Intifada*, de mettre fin au soulèvement populaire. Les Américains pensent que le temps joue en

1. La résolution 242 fut votée le 22 novembre 1967 ; la 338, le 22 octobre 1973.

2. Le 16 décembre 1988, l'Administration américaine décide de dialoguer avec l'O.L.P. à Tunis. Son ambassadeur dans la capitale tunisienne, Robert Pelletreau, est chargé du dossier. Yasser Abd Rabbo, responsable du Département de l'Information de l'O.L.P., et Hakim Balaoui, ambassadeur de Palestine à Tunis, conduisent la délégation palestinienne.

faveur des Israéliens. A chaque fois, ils veulent que nous leur accordions six mois supplémentaires...

Q. — Quel bilan faites-vous de ce dialogue qui a duré environ un an et demi ?

R. — Il se situe à un niveau très superficiel. Il était initialement prévu que, suivant l'accord passé entre Schultz et moi par l'intermédiaire du ministre des Affaires étrangères suédois Andersen, ce dialogue se déroule à un niveau plus élevé. Mais je suis navré de dire qu'avec la nouvelle Administration américaine, cela n'a pas été le cas. Les Américains n'ont pas respecté l'accord qui avait été conclu entre nous. Dans le même temps, ils ont réagi négativement aux initiatives arabes adoptées à Casablanca, ainsi qu'à celles de la C.E.E. et au communiqué de Madrid[1]. Il y a eu aussi le communiqué de Bucarest, avant la chute du régime de Ceaucescu, communiqué appuyé par la Chine et le Japon. Les États-Unis ont soutenu le Likoud, son plan, Shamir et les agressions perpétrées contre nos enfants, contre notre peuple. Grâce à ce soutien, les Israéliens peuvent continuer l'occupation et les agressions. Il en va de même pour le problème

1. Initiatives arabes et européennes tendant à engager un processus de paix.

de l'immigration juive en provenance d'Union Soviétique.

Pour ce qui est de ce dialogue, il n'existe plus actuellement[1]. L'action d'Aboul Abbas a été le prétexte invoqué par l'Administration américaine pour y mettre fin. Mais, dans ce cas, pourquoi Washington n'a-t-il pas arrêté le dialogue avec les Israéliens qui, de leur côté, continuent à massacrer nos femmes et nos enfants ?

Q. — Les actions terroristes, qui ont donné une image sanglante de la cause palestinienne, ont sans nul doute un impact très négatif sur l'opinion mondiale, notamment américaine. Vous avez condamné les « opérations extérieures » à plusieurs reprises : en 1987 au Caire, en 1988 lors de la session du Conseil National palestinien de novembre, et la même année devant les Nations Unies. Ces « opérations extérieures » sont des opérations terroristes. Quelle est votre définition exacte du terrorisme ?

R. — J'entends par terrorisme toute action perpétrée contre des civils. Je tiens à rappeler que nous sommes une organisation de libé-

1. Entre temps, il a été rompu, à l'initiative des États-Unis, après la tentative de débarquement d'un commando du F.L.P. d'Aboul Abbas sur une plage israélienne, le 30 mai 1990.

ration ; nous nous battons pour libérer notre pays, et cela, conformément à notre Charte, aux résolutions de l'O.N.U. et aux Droits de l'homme. Nous revendiquons le droit de combattre par tous les moyens, mais nous sommes absolument contre les attaques dirigées contre des civils. En tant qu'Organisation de libération de la Palestine, toutes nos opérations ont été dirigées contre la machine militaire israélienne. D'ailleurs, nous sommes fiers d'avoir affronté seuls, en 1982, pendant le siège de Beyrouth, cette importante machine militaire israélo-américaine, dans une guerre qui a été la plus longue guerre israélo-arabe de l'histoire du conflit.

Q. — Et la prise d'otages de Munich ?

R. — Je vous parle personnellement en tant que Président de l'O.L.P., et cette organisation, encore une fois, n'a perpétré aucune opération contre des civils.

Q. — Pourtant, aujourd'hui encore, les Israéliens vous qualifient de terroristes. Il faut donc être très clair sur ce problème. Étiez-vous contre les opérations menées dans les années 70 : détournements d'avions et prises d'otages ?

R. — Oui, nous sommes contre le terrorisme, et nous le refusons sous toutes ses formes.

Q. — Revenons-en aux positions américaines

actuelles. Que pensez-vous exactement du Plan Baker[1] ?

R. — Je suis désolé de dire qu'il ne s'agit pas du plan de James Baker, mais du plan officiel de l'Administration américaine : normalisation des relations israélo-arabes dans le même esprit que les accords de Camp David, signés entre Israéliens et Égyptiens sous les auspices des États-Unis ; solution du problème palestinien selon une vision très vague correspondant au Plan Shamir[2], et initiative pour une sorte de nouveau Camp David. Voilà le contenu de ce plan.

Q. — Depuis ce plan, l'Égypte négocie avec les Américains à votre place. Estimez-vous cela normal ? Pensez-vous que le Président Moubarak, faute de négociations directes entre vous et Washington, défende correctement vos intérêts ?

R. — Je me suis rendu en Égypte et j'ai rencontré le Président Moubarak. Le Caire continue à jouer un rôle, mais le problème est que l'issue ne dépend pas de l'Égypte.

1. Le Plan Baker, en cinq points, reprend l'idée israélienne d'élections dans les Territoires occupés. Cette initiative américaine date du 10 octobre 1989, mais le plan lui-même n'a été rendu public qu'un peu plus tard.

2. Le Plan Shamir, rejetant toute négociation avec l'O.L.P., tend à accorder aux Territoires occupés une certaine autonomie.

Nous attendons une réponse claire d'Israël, même si elle devait être négative, face au processus de paix. Pour l'heure, les Israéliens bloquent tout processus de ce genre.

Cela dit, les Égyptiens ne parlent pas à la place des Palestiniens. Le Président Moubarak et les responsables égyptiens transmettent notre point de vue, cela ne fait à nos yeux aucun doute. Concernant l'initiative de paix et le Plan Baker, la seule différence entre eux et nous est celle qui existe entre un mouvement révolutionnaire et un État, ce qui ne constitue pas une différence fondamentale. Sur l'essentiel, il n'y a pas de divergences.

Q. — On a récemment assisté à une vive campagne de presse anti-palestinienne en Égypte. Elle a fait suite à l'attaque d'un autocar de touristes israéliens en Égypte[1], et la plupart des commentateurs ont considéré qu'elle en était la conséquence. Qu'en est-il en réalité ?

R. — C'est vrai que nous avons fait l'objet d'attaques en règle pendant quelque temps, à la suite de cette affaire du bus israélien, à laquelle l'O.L.P. n'a pris aucune part ; mais cette campagne est terminée. Il n'y a rien eu de plus.

1. Attentat contre un car de touristes israéliens, le 4 février 1990, qui fit dix morts et seize blessés parmi les passagers.

Q. — Parlons maintenant de la France. En 1967, le général de Gaulle a condamné le déclenchement de la guerre des Six jours par Israël, puis décidé un embargo sur les armes à destination des belligérants. Quel souvenir conservez-vous de lui ?

R. — Le général de Gaulle a été la première personne avec qui j'ai eu des relations officielles en France. J'ai toujours gardé la Croix de Lorraine qu'il m'a donnée. Dans mon bureau, j'ai conservé cette devise : « Tout pour la France. » Je l'ai rencontré juste après la bataille de Karameh en Jordanie. J'ai reçu un émissaire qu'il m'avait envoyé. Nous avons eu des échanges de lettres.

Q. — Comment appréciez-vous la position française vis-à-vis du problème palestinien, spécialement depuis l'élection de François Mitterrand à la Présidence ?

R. — La position de François Mitterrand est plus avancée qu'auparavant. Souvenez-vous des communiqués de Madrid[1] et de Strasbourg[2]. Rappelez-vous l'invitation person-

1. Le Conseil européen réuni à Madrid les 26 et 27 juin 1989 a estimé que l'O.L.P. devait participer au processus de paix dans le cadre d'une conférence internationale, et a adressé un appel pressant à Israël afin qu'il renonce aux mesures répressives dans les Territoires occupés.

2. Pour la première fois, à Strasbourg, lors de la visite de

nelle que le Président Mitterrand m'a adressée en mai 1989, et ma conversation avec lui à l'Élysée. Nous ne pouvons pas non plus oublier la dernière conférence des ministres des Affaires étrangères pour le dialogue euro-arabe, qui s'est tenue à Paris en décembre 1989, présidée par le Président Mitterrand et le roi Hassan II. Les Palestiniens y ont assisté pour la première fois, représentés par Abou Lotf (Farouk Kaddoumi) en tant que membre à part entière. Rappelons également la part prise par la France lors de notre évacuation de Tripoli. Nous avons beaucoup d'amis en France.

Yasser Arafat au Parlement européen, les 13 et 14 septembre 1988, Israël et l'O.L.P. sont nommément mentionnés comme participants à la Conférence internationale pour la paix.

7.

L'Intifada

Q. — Vous avez déclaré récemment que vous étiez à présent dans le « dernier quart d'heure » des combats, et que c'était le plus dur moment. A propos de l'*Intifada* et des difficultés que vous rencontrez actuellement, quel est votre sentiment ? Pensez-vous que l'*Intifada* puisse continuer sous la même forme, c'est-à-dire sans armes du côté palestinien ?

R. — Le combat va se révéler encore plus dur, et les ennemis plus barbares. Nous devons affronter les forces armées israéliennes qui agressent nos femmes et nos enfants. Nous nous attendons à une escalade de crimes contre notre peuple, nous nous attendons à des jours plus difficiles encore. Je dois reconnaître que je subis de fortes pressions, de la part de la population, pour lui donner l'autorisation d'utiliser des armes afin qu'elle puisse se défendre contre les troupes israéliennes, contre l'oppression. Jusqu'à maintenant, la direction n'a pas autorisé le recours aux armes, mais toute chose a bien sûr une fin. J'ai néanmoins donné des ordres formels pour que les armes ne soient pas utilisées.

En ce qui concerne le déroulement de l'*Intifada*, au début, les Israéliens ont cru qu'ils briseraient le soulèvement en deux ou trois jours. Nous en sommes maintenant à la troisième année de la « révolte des pierres ». Nous abordons la troisième étape de l'*Intifada*. Les deux premières ont été la grève totale et la désobéissance civile ; la dernière ne peut être dévoilée, mais vous pouvez l'imaginer. En tout cas, l'*Intifada* continuera jusqu'à la fin de l'occupation israélienne. Toutes les possibilités sont envisageables.

Q. — Établissez-vous un lien quelconque entre l'*Intifada* et les événements d'Europe de l'Est ?

R. — Oui, bien sûr. Ce soulèvement est devenu un symbole à travers le monde. C'est un soulèvement populaire de masse auquel participent les femmes, les enfants, les travailleurs, les jeunes, toutes les couches de notre peuple. Les masses d'Europe de l'Est ont utilisé cette appellation d'*Intifada* lors de leurs propres manifestations. Le mot *Intifada* est désormais connu dans le monde entier.

Q. — Estimez-vous qu'au cours de ces dernières années, l'*Intifada* a fait évoluer l'opinion publique américaine en votre faveur, malgré le poids du lobby juif ?

R. — Les Américains ont pu voir à la télévision comment se passait l'*Intifada*. Nous avons eu 1 550 martyrs depuis le début du soulèvement, entre 56 000 et 57 000 blessés, et 6 000 à 7 000 handicapés. Plus de 5 000 touchés par des armes chimiques. Mais on fait silence aux États-Unis sur les crimes commis par l'armée israélienne contre notre peuple. L'usage d'armes chimiques par les Israéliens a été découvert par deux équipes médicales, l'une belge, l'autre américaine. Ils n'utilisent pas seulement des gaz contre nous, et cela dure depuis deux ans. Or, l'usage des armes chimiques est interdit !

Quelques Israéliens ont été blessés, pendant l'*Intifada*, ce qui a provoqué beaucoup de remous aux U.S.A., mais, dans le même temps, les Américains oublient ce qui se passe dans les Territoires occupés. Le 6 février 1990, des soldats israéliens ont ouvert le feu sur une école primaire à l'intérieur de laquelle se trouvaient 45 ou 46 élèves qui ont été blessés. S'attaquer à une école primaire est honteux.

Les Américains parlent des droits de l'homme partout dans le monde, sauf lorsqu'il s'agit des Palestiniens : pour eux, nous ne sommes pas des êtres humains...

En Afrique du Sud, Nelson Mandela a été relâché ; pourquoi nous, Palestiniens, avons-nous entre 6 000 et 7 000 personnes enfermées dans des camps en Israël ? Qu'est-ce que cela veut dire ?

Jusqu'à présent, la majorité des médias américains passent tous ces crimes sous silence. Pourquoi ? Les médias donnent la parole au lobby juif et exagèrent son importance pour nuire aux Arabes. Nous nous souvenons des réactions du lobby juif lorsque le Président Eisenhower, en 1956, a ordonné à Israël de se retirer du Sinaï, de la bande de Gaza, tout comme il le fit pour les forces françaises et britanniques.

Q. — On parle beaucoup, ces derniers temps, du mouvement « Hamas », mouvement islamiste des Territoires occupés, qui s'est développé depuis le début de l'*Intifada*. Le contrôlez-vous ? Est-il représentatif d'une fraction de l'O.L.P. ?

R. — Il y a chez nous des communistes, des groupes islamistes, une tendance socialiste, une autre nationaliste ; nous avons des « jacobins » ; il y a le Fatah. Tous les courants sont représentés. Chacun croit en l'*Intifada* ; c'est le cas du groupe Hamas qui a ses objectifs propres.

Les Palestiniens sont chrétiens, musulmans ou juifs, mais il n'y a pas de « parti » islamiste ; il n'y a que des individualités.

Q. — Que pensez-vous du mouvement islamiste en général dans le monde d'aujourd'hui ?

R. — Le mouvement islamiste est le pendant naturel du fanatisme, de l'intégrisme israéliens[1] ; c'est une réaction directe au phénomène intégriste en Israël. Certains fanatiques israéliens veulent détruire la mosquée Al Aqsa — qui fut la première *qibla*[2] de l'Islam — pour installer à sa place une synagogue. Ce genre de chose entraîne des réactions islamistes très fortes.

1. La religion a une importance croissante dans la vie politique israélienne. Le système électoral — scrutin proportionnel — permet la représentation à la Knesset de nombreux groupes. La caractéristique des partis religieux est la prééminence absolue accordée à la Thora et la volonté d'appliquer les règles de la tradition juive dans la législation de l'État.

2. *Qibla :* direction dans laquelle tout musulman doit se tourner pour prier, c'est-à-dire celle de La Mecque. Peu après l'Hégire — exil du Prophète de La Mecque à Médine —, quand éclata une violente inimitié entre le Prophète et les tribus juives de Médine, la direction de Jérusalem fut abandonnée pour celle de La Mecque.

De même, la décision prise par le Congrès américain de reconnaître Jérusalem comme capitale de l'État hébreu ne peut qu'engendrer l'intégrisme — sans compter que cela va à l'encontre des résolutions internationales. Avant de parler de l'intégrisme musulman, il faut en expliquer les causes : c'est Israël qui crée ce phénomène. Pour tout extrémisme, il existe un contre-extrémisme.

Q. — Pensez-vous qu'il s'agisse bien d'une question de caractère religieux ? N'est-ce pas plutôt une utilisation du religieux à des fins politiques ? Car si l'on examine le discours intégriste — de quelque bord qu'il soit —, on n'y trouve guère de réflexion théologique...

R. — Bien sûr. Je suis tout à fait d'accord. D'ailleurs, je vais vous citer un autre exemple : sur cette pièce de monnaie qui circule à l'heure actuelle en Israël, figure la carte du Grand Israël. La monnaie officielle israélienne est frappée à l'effigie du Grand Israël, comprenant tous les pays arabes voisins !

(Arafat montre la pièce en question et un document sur lequel elle est agrandie ; le document est annoté de sa main).

Q. — Israël a à faire face à des difficultés internes. Sa politique ne risque-t-elle pas déboucher sur une impasse ?

R. — Évidemment, les Israéliens sont en train

de se suicider politiquement. A l'heure où je vous parle[1], ils sont en train de préparer une guerre. Je viens de lire un rapport du général Barak[2] qui fait état de préparatifs précis de la part d'Israël en vue d'une guerre prochaine. Je suis persuadé que ce projet est réel, car il n'existe pas d'autre alternative pour Israël à l'heure actuelle : celui qui refuse la paix doit faire la guerre. Les Israéliens ont rejeté toutes les intiatives de paix. Or, ils ne sont pas stupides ; en tout cas, le peuple ne l'est pas, ce sont ses dirigeants qui le sont.

Q. — Établissez-vous une distinction entre le Likoud et les travaillistes qui ont été les initiateurs des implantations de colonies juives dans les Territoires occupés ?

R. — Celui qui exécute la politique de Shamir est le ministre de la Défense Rabin[3], un travailliste. C'est également lui qui exerce la

1. Cette partie des entretiens a eu lieu en mai 1990, avant le déclenchement de la guerre du Golfe, dans une période où la tension était déjà très forte.

2. C'est le général Barak, responsable du renseignement israélien, qui a ordonné et supervisé l'assassinat d'Abou Jihad. Le 1er avril 1991, il a été nommé à la tête de l'armée israélienne.

3. De décembre 1988 à mars 1990, un gouvernement de coalition nationale a regroupé des ministres du Likoud, du parti travailliste et de plusieurs partis de moindre importance, dont les partis religieux. La coalition a éclaté sur le processus de paix.

répression contre l'*Intifada* dans les Territoires occupés. Par ailleurs, les travaillistes avaient l'occasion de constituer un gouvernement restreint, et ils ne l'ont pas saisie. Ils ont préféré un gouvernement de coalition nationale, ce qui a permis à Shamir de prendre toutes les décisions qu'il voulait.

Q. — D'après les informations dont vous disposez, les préparatifs de guerre israéliens sont-ils dirigés plus particulièrement vers l'Irak ? En cas d'offensive israélienne, quels pays arabes seraient en mesure de résister ? De quel type d'offensive s'agit-il ?

R. — Je ne puis absolument pas répondre pour l'instant à votre première question. C'est un problème de sécurité. Je ne vais pas vous donner de réponse sur une question militaire qui concerne la sécurité nationale des Arabes.

Israël a ouvert d'ores et déjà les hostilités avec le monde arabe dans son ensemble. L'armée israélienne se prépare sérieusement sur le front oriental. C'est ce qui est mentionné dans ce rapport du général Barak daté du 13 mai.

(Arafat me le montre ; un certain nombre d'autres rapports, tous très récents et de même provenance, sont sous nos yeux.)

Selon la théorie d'Israël, ce pays ne peut se défendre sur son propre territoire. L'expérience montre que les guerres israélo-arabes ont toujours conduit les Israéliens à combattre à l'extérieur de leurs frontières ; ils frappent l'ennemi chez lui. C'est une armée qui compte toujours sur la première frappe. Il s'agit là d'une technique éprouvée depuis la bataille de Karameh, en passant par le siège de Beyrouth.

Mais il ne faut pas oublier que cette armée possède en outre l'arme nucléaire, des armes chimiques et des armes biologiques.

Q. — Quand avez-vous eu la certitude qu'Israël possédait la bombe atomique ?

R. — Nous le savons depuis les années 60. C'est à ce moment-là aussi que nous avons su que la France avait fourni à Israël sa première usine.

Q. — Revenons aux préparatifs de guerre que vous évoquiez. A quel échéance situez-vous son éventuel déclenchement ?

R. — Le rapport [Barak] du 3 mai concerne plus précisément les préparatifs ; les Israéliens distribuent à chaque citoyen un masque à gaz. Les États-Unis vont leur envoyer des missiles anti-missiles. Je pense que l'offensive pourrait être déclenchée cet automne [1990], c'est-à-dire prochainement. Les Israéliens choisiront bien sûr le moment qui leur convient le mieux pour passer aux actes.

Q. — Avez-vous l'impression que l'idée d'une

guerre extérieure est liée à l'échec de la répression de l'*Intifada* ?

R. — Non. Il s'agit là d'un processus indépendant. Mais, à cette occasion, les Israéliens pensent pouvoir accentuer la répression, commettre des actes horribles et liquider finalement l'*Intifada* par ce biais-là.

8.

Sur la crise du Golfe

(premier entretien de novembre 1990)

Q. — Vous n'avez condamné ni l'invasion ni l'annexion du Koweit par Saddam Hussein. Aux yeux de l'opinion occidentale, cette prise de position équivaut à un soutien au Président irakien, et votre « image de marque » risque d'en être grandement affectée. Par ailleurs, les conséquences — notamment financières[1] — de cette décision sont lourdes pour le mouvement palestinien. Pouvez-vous préciser votre position ?

R. — Il faut tout d'abord comprendre ce que

1. L'O.L.P. a calculé que la crise du Golfe aurait coûté dix milliards de dollars à la communauté palestinienne du Koweit (avant la crise, chaque Palestinien versait à l'Organisation 5 % de ses revenus). De plus, l'aide que les pays arabes se sont engagés à fournir à l'O.L.P. au titre de l'assistance à l'*Intifada* risque d'être remise en question par les monarchies du Golfe.

pourra être l'issue de ce conflit pour les Palestiniens. Nous ne sommes pas avec Saddam Hussein contre les autres ; nous sommes pour une solution arabe. Nous sommes favorables à une solution régionale. Cela a d'ailleurs été notre politique constante : lors du conflit syro-palestinien au Liban en 1976, lors de la crise libanaise, particulièrement au moment des accords de Taëf[1]. Nous sommes également intervenus au sein de la Ligue arabe. Ce n'est donc pas la première fois que nous adoptons une telle position. Nous travaillons actuellement dans ce sens-là, car si un conflit éclatait, il n'y aurait pas de vainqueur, ce serait un véritable désastre pour tout le monde. De plus, et c'est capital, nous ne pouvons accepter, dans nos pays arabes, une présence armée américaine et européenne. La présence de ces troupes étrangères ne peut être tolérée.

Je vais vous confier quelque chose. Lorsque j'ai rencontré récemment Michel Rocard à Paris, il m'a dit : « Vous savez, je suis socialiste, et, à ce titre, je ne peux oublier que la France a été un pays colonial ». Je lui ai alors

1. Le 22 octobre 1989, les députés libanais réunis à Taëf (Arabie Saoudite) acceptent un document d'entente nationale qui doit mettre fin à l'instabilité que connaît le Liban depuis 1975.

répondu qu'en tant que responsable d'une organisation de libération, je ne pouvais en aucun cas accepter la présence militaire française, non plus que celle des Américains, dans nos pays arabes. Il m'a dit : « Je vous comprends ».

Q. — Pourtant, le lendemain, la France renforçait son dispositif militaire dans le Golfe. Que pensez-vous de sa politique dans cette affaire ?

R. — Je ne fais que vous rapporter les propos de Michel Rocard. Pour répondre à votre question, il n'y a pas de position française propre, et vous le savez bien.

Q. — Que pouvez-vous dire au sujet de ce qu'on a qualifié de « plan américain » contre Saddam Hussein, lequel aurait été préparé avant la crise et aurait même « favorisé » l'invasion du Koweit ? Qu'en est-il de ce projet d'anéantissement du potentiel militaire irakien ?

R. — La menace américaine contre les Irakiens, et plus directement contre Saddam Hussein, était antérieure à l'opération militaire au Koweit. Il faut savoir que cela fait partie de la politique américaine dans la région de ne pas y accepter de pouvoir fort. Or, les potentialités que l'armée irakienne a acquises au cours des huit années de guerre contre l'Iran sont très importantes. Pour la première fois, il existe un véritable appareil militaire dans le monde arabe, et cet arsenal arabe est devenu plus fort que celui des Israéliens. Si ces derniers avaient la capacité de faire face seuls aux Irakiens, pourquoi viendraient-ils avec des forces américaines, européennes et autres ? En fait, Washington sait fort bien que les Israéliens ne peuvent plus agir seuls et c'est l'une des raisons pour lesquelles les Américains ont envoyé leur armada et participent eux-même à la force militaire. James Baker a obtenu du Congrès l'envoi de nouvelles troupes et les États-Unis continuent d'augmenter le nombre de leurs soldats stationnés dans le Golfe.

Q. — La crise du Golfe est la première grande crise régionale à s'être internationalisée depuis que le mur de Berlin est tombé. N'y a-t-il pas là la possibilité d'une sorte de « test du mur de Berlin » ? Par-delà les apparences, pensez-vous qu'une réelle entente se soit instaurée entre les États-Unis et l'U.R.S.S. sur la position à adopter dans cette région du monde, notamment après la rencontre d'Helsinki entre Bush et Gorbatchev ?

R. — Les deux pays sont tombés d'accord sur le fait qu'ils devaient œuvrer ensemble pour pousser l'Irak à quitter le Koweit, mais l'U.R.S.S. a insisté pour que l'option militaire soit la dernière. L'accord n'est donc pas total. Certains officiels soviétiques ont mentionné qu'ils n'étaient pas opposés à l'option militaire, mais qu'à leur avis, le moment n'était pas venu.

Q. — Revenons à votre propre position. Vos relations avec le Koweit sont très anciennes ; vous avez déjà exercé une médiation — comme vous le faites aujourd'hui — il y a presque vingt ans. Comment cela s'est-il passé ?

R. — En 1973, j'ai exercé une médiation entre le Koweit et l'Irak quand un différend a opposé les deux pays à propos de l'île de Boubyane et de la question des frontières. J'ai réussi à obtenir un cessez-le-feu et une rencontre entre les deux délégations. Le ministre irakien des Affaires étrangères a accepté de monter dans mon avion — qui était un avion libyen — et je l'ai accompagné à Koweit pour qu'il participe à la réunion.

Je suis de nouveau intervenu plus tard. Durant la guerre irako-iranienne, il y a eu encore un problème à propos de l'île de Boubyane entre Bagdad et Koweit. L'une des solutions que j'ai alors proposées était que le Koweit loue l'île aux Irakiens aux termes d'un bail de quatre-vingt-dix-neuf ans, mais il a refusé.

Ce problème est donc très ancien, et je travaille avec d'autres responsables arabes afin d'arriver aujourd'hui à dégager une solution arabe.

Q. — Êtes-vous en bonne position pour mener à bien cette médiation, dans la mesure où vous avez pris parti ?

R. — La question n'est pas d'être en bonne ou mauvaise position. Le plus important pour moi est de faire en sorte que l'on évite l'explosion, qui serait une véritable catastrophe.

Q. — Quelle est votre appréciation de l'attitude israélienne ? Israël multiplie les affirmations selon lesquelles il n'est pas concerné par le conflit. Pensez-vous que les Israéliens vont néanmoins s'engager auprès de leurs alliés américains ?

R. — Bien sûr, c'est probablement ce qui va se passer.

Q. — Plus précisément, pensez-vous qu'Israël pourrait prendre prétexte de la crise du Golfe pour attaquer la Jordanie, ce qui ne manquerait pas d'entraîner des conséquences très négatives pour l'O.L.P. et pour le sort du peuple palestinien ?

R. — L'un des plans des Israéliens consiste en effet à s'emparer d'une partie de la Jordanie.

Il faut se rappeler ce qu'Ariel Sharon[1] a déclaré à plusieurs reprises, à savoir que la Jordanie est la patrie des Palestiniens.

Nous devons également nous rappeler que lors du sommet arabe qui s'est tenu à Bagdad en mai dernier[2], deux points ont été abordés : la menace israélo-américaine contre la Jordanie et l'Irak, et la nouvelle vague d'immigration juive en Israël, en provenance d'U.R.S.S. Cette immigration, entamée depuis de longs mois, ne tarit pas. Le 25 mai dernier, à Genève, au Conseil de Sécurité des Nations Unies — vous étiez là —, j'ai fait état de certains documents. Ceux-ci révèlent ce qu'est la conception du « Grand Israël », lequel inclut : la Jordanie, le Liban, deux-tiers de la Syrie et de l'Irak, un tiers de l'Arabie Saoudite et la moitié du Sinaï.

D'après nos propres informations, il est clair que l'un des objectifs des responsables israéliens est d'occuper la Jordanie. Dans le cadre de la crise du Golfe, ce point est très important et nos services suivent de près ce que les Israéliens prévoient et dont je vous ai

1. Ministre de l'Habitat, membre de la branche « dure » du Likoud, opposé à toute idée de restitution des Territoires occupés.

2. Un sommet arabe extraordinaire s'est tenu à Bagad le 28 mai 1990.

déjà parlé[1]. L'attaque de la Jordanie est destinée à parfaire le siège de l'Irak. En effet, les Israéliens n'ont pas pour seul objectif d'occuper le Sud-Liban[2], ce qu'ils font déjà, ni la Jordanie, mais de participer réellement à une attaque contre l'Irak, suivant en cela des accords conclus avec les Américains. Dans cette opération, ils n'utiliseraient pas seulement leur aviation.

Q. — Vous semble-t-il encore possible de prévenir une telle attaque ?

R. — Nous œuvrons actuellement à contre-courant afin que la solution politique l'emporte sur la solution militaire.

Q. — Vous venez d'évoquer l'immigration des Juifs soviétiques en Israël. Cet afflux de population constitue un grave problème pour vous. Pensez-vous pouvoir le résoudre ?

R. — Il faut du temps pour cela. Et la situation interne de l'U.R.S.S. est difficile, elle mobilise les dirigeants de Moscou.

Q. — Les relations de l'O.L.P. avec la Jordanie ont connu des hauts et des bas. Il y a eu les événements de Septembre 1970... De l'exté-

1. Il s'agit des rapports du général Barak.

2. L'armée du Sud Liban, financée, armée et entraînée par Israël, contrôle une zone-tampon avec l'État hébreu qui représente 8 % de la superficie du Liban.

rieur, ces fluctuations sont assez malaisées à comprendre.

R. — Les événements du « Septembre noir » sont loin. C'est du passé. Je tiens à toujours avoir de bonnes relations avec la Jordanie. Il ne faut pas oublier qu'une grande partie de notre peuple vit dans ce pays : la moitié de la population y est palestinienne. En outre, la Jordanie, qui jouxte la Palestine, représente pour nous une position stratégique. Il faut également prendre en compte les responsabilités communes jordano-palestiniennes, au niveau de la gestion, en ce qui concerne les Territoires occupés. Enfin, la Jordanie est la porte d'entrée et de sortie de ces territoires — en tout cas pour ce qui est de la Cisjordanie, puisque Gaza a aussi son entrée et sa sortie.

Q. — Voici bientôt deux mois que Saddam Hussein a envahi le Koweit, et il l'occupe toujours. Il détient par ailleurs en otages quelques centaines d'Occidentaux, dont certains auraient été placés sur des sites « stratégiques ». Que pensez-vous de sa « gestion » de la crise et de son attitude vis-à-vis des otages ?

R. — C'est une question très complexe, mais on note une certaine flexibilité dans l'attitude irakienne. Les femmes et les enfants ont été libérés, ainsi que certains ressortissants de pays européens, d'Amérique latine, etc... Je suis sûr que le gouvernement irakien fera encore preuve de souplesse à cet égard.

Q. — Est-il envisageable que Saddam Hussein accepte d'évacuer le Koweit ?

R. — Comme il l'a déclaré le 12 août, il évacuera le Koweit lorsque les Israéliens évacueront les Territoires occupés de Palestine et notamment Jérusalem, le Sud-Liban et les hauteur du Golan. Ces problèmes sont liés de façon indiscutable.

On ne peut pas encore l'affirmer, mais il est certain qu'actuellement, de nombreux officiels européens et soviétiques commencent à parler d'une conférence internationale destinée à régler le problème israélo-palestinien. Certains Américains évoquent même cette possibilité, mais ils ne l'envisagent qu'après le retrait irakien du Koweit. Néanmoins, c'est là un signe ; cela veut dire qu'ils y ont réfléchi et en ont accepté l'idée. Il en va de même des pays islamiques et de la Chine : l'idée fait de plus en plus son chemin, et je suis confiant dans l'avenir.

Q. — Alors que les feux de l'actualité sont braqués sur le Golfe, les troubles en Territoires occupés persistent ; nous en serons bientôt au millième jour de l'*Intifada*, et on dénombre déjà près de mille morts palestiniens. Vous attendez-vous à ce sujet à une pression de la part des Américains, alors même qu'ils ont rompu le dialogue avec vous depuis l'attentat perpétré par Aboul Abbas sur les côtes israéliennes ?

R. — Il est vrai que, depuis le début des événements de cet été, l'*Intifada* est reléguée en deuxième ou troisième position dans les médias. Mais il ne faut pas oublier que le soulèvement continue, en dépit de cette très grave crise qu'est la crise du Golfe.

Rappelez-vous le massacre qui a eu lieu à Gaza au mois de mai dernier. J'ai demandé à mon représentant aux Nations Unies de proposer une résolution au Conseil de Sécurité, mais les États-Unis opposeront leur veto une nouvelle fois.

Les États-Unis sont une super-puissance qui défend ses intérêts et utilise à cette fin son influence aux Nations Unies. La crise du Golfe et la question palestinienne sont des illustrations de la politique contradictoire menée par les États-Unis. Ils devraient en principe adopter une ligne politique commune avec les pays européens dans le domaine international, mais, en fait, ils utilisent les résolutions des Nations Unies pour servir leurs propres intérêts. C'est vrai dans le cas de la crise du Golfe, c'est vrai dans la lutte contre le peuple palestinien comme dans le cadre du conflit israélo-arabe.

Au cours de cette crise, les États-Unis ont déjà utilisé à sept reprises leur droit de veto au Conseil de Sécurité des Nations Unies, refusant de condamner les crimes commis par les Israéliens contre le peuple palestinien.

9.

Sur la crise du Golfe

(second entretien de mars 1991)

Q. — La guerre du Golfe est terminée. Pourriez-vous rappeler très clairement quelle a été votre position pendant la crise et la guerre qui a suivi ?

R. — Je tiens à souligner que, beaucoup plus que toute autre, cette guerre qui a été déclenchée contre l'Irak a prouvé que les intentions réelles n'étaient pas de mettre en œuvre les résolutions des Nations Unies et du Conseil de Sécurité. Il s'est agi en fait d'une guerre menée contre l'Irak. Aujourd'hui, 15 % du territoire irakien sont encore occupés alors que l'Irak s'est retiré du Koweit. Aujourd'hui, des rebelles venant des pays voisins sont entrés en Irak pour détruire les infrastructures de l'État irakien. Le but était donc bien de détruire la puissance irakienne.

Malgré toutes les raisons qui ont été avancées pour justifier cette guerre, si on avait seulement déployé en faveur de la paix un millième des efforts qui ont été consentis sur le plan militaire, il aurait été possible de trouver une solution pacifique.

Q. — J'imagine que vous parlez là de l'attitude américaine. Faites-vous la même analyse pour celles de l'ensemble des pays de la Coalition ?

R. — Les objectifs des alliés n'étaient pas les mêmes. Mais, compte tenu de la position prépondérante de la super-puissance américaine, tous furent obligés de lui emboîter le pas.

Q. — Est-ce aussi le cas des pays arabes participant à la Coalition ?

R. — Depuis l'effondrement de l'autre super-puissance, l'Union soviétique, les Américains ont les mains libres dans la région.

Q. — Vous avez, dès le mois d'août 1990, proposé un plan de paix pour résoudre cette crise. Rappelez-en la teneur.

R. — Avant le déclenchement des hostilités, du jour où les forces irakiennes sont entrées au Koweit, la position palestinienne a consisté à rechercher une solution arabe à cette crise. C'est d'ailleurs ce que nous avons toujours fait : lorsque les forces syriennes sont entrées au Liban, au moment du différend entre le

Maroc et l'Algérie, pour résoudre le problème qui opposait Sadate à Kadhafi quand les forces égyptiennes ont pénétré en territoire libyen, enfin pour rapprocher le Yémen du Nord et le Yémen du Sud (lesquels se sont unifiés depuis lors).

Mais des obstacles sont venus se dresser contre les efforts de paix, y compris les efforts palestiniens, contre les initiatives de paix que nous avons prises dès le 30 août 1990.

Le premier point de notre plan stipulait le retrait des forces irakiennes. Ce plan fut accepté par les États arabes partisans d'une solution arabe, par un certain nombre de pays islamiques, africains, et par des pays non-alignés. Les Nations Unies en furent informées — donc les cinq membres permanents du Conseil de Sécurité — tout comme la Communauté Européenne et le Japon.

Entre le 15 et le 20 septembre, nous avons proposé un processus destiné à faire prévaloir cette solution.

Tout ce que nous avons déclaré à l'époque s'est révélé fondé : j'ai très tôt parlé de marée noire dans le Golfe, et c'est ce qui s'est passé. On est en présence d'une véritable catastrophe. J'ai parlé du risque d'embrasement des puits de pétrole, j'ai alerté la communauté internationale sur les risques d'explosions.

Tout cela, malheureusement, s'est produit comme je l'avais prévu.

Q. — Néanmoins, les pays arabes de la Coalition n'ont pas accepté votre plan ?

R. — Nous avions envoyé cette proposition à l'Arabie Saoudite.

Q. — Quelle fut la réaction des Saoudiens ?

R. — Ils ont émis certains commentaires, et j'ai modifié mon initiative en fonction de leurs remarques.

Q. — Finalement, votre initiative a été rejetée. Pourquoi ?

R. — De fait, elle n'a pas été acceptée. Il y a juste eu ces quelques remarques formulées par les Saoudiens. Rappelons tout de même l'attitude positive prise par le Prince Sultan, sur la nécessité de trouver une solution. Nous autres Arabes sommes toujours d'accord pour des concessions mutuelles. Malheureusement, on a souhaité à l'évidence écarter toute initiative de paix dans la crise du Golfe. Plus que d'un simple souhait, il s'agissait d'ailleurs d'une détermination, d'une volonté délibérée d'écarter toute solution pacifique.

Q. — De la part des Américains ?

R. — Cela n'a pas été leur seul fait, mais celui de plusieurs parties prenantes, internationales et régionales.

Q. — Vous auriez pu adopter une « troisième

voie » qui aurait évité, notamment en Occident, que l'on assimile votre position à un soutien inconditionnel aux thèses de Saddam Hussein. En fait, compte tenu de ce que vous avez exprimé dans ce plan, vous auriez pu accepter toutes les résolutions des Nations Unies, hormis la dernière, la résolution 678, qui autorisait le recours à la force.

R. — C'est exact, puisque notre objectif était bien le retrait irakien du Koweit. C'est d'ailleurs dans ce contexte qu'il faut situer le rôle des Palestiniens et les efforts de paix soviétiques. Rappelons les trois visites que Primakov, envoyé spécial du Président Gorbatchev, a effectuées à Bagdad, au cours desquelles les dirigeants irakiens lui ont exprimé leur volonté de se retirer du Koweit. Comme vous le savez, nous avons également accueilli favorablement l'initiative française, autre initiative destinée à trouver une solution pacifique au conflit.

En réalité, c'est l'Irak qui nous a soutenus. Le Président Saddam Hussein a été le premier chef d'État à établir un lien entre la question palestinienne, très importante pour les nations arabes, et la question du pétrole. Le problème palestinien est capital pour les musulmans comme pour les chrétiens et les juifs ; le pétrole est vital pour les économies occidentales. C'est Saddam qui a établi ce lien.

Q. — Certes, mais l'opinion occidentale, elle, a critiqué avec virulence votre position, qui paraissait très favorable à Saddam Hussein. Aux yeux de l'Occident, c'est vous qui souteniez l'Irak, pas l'inverse.

R. — C'est pourtant bien l'inverse qui est vrai.

C'est d'ailleurs ce même Occident qui est venu me demander d'exercer une médiation avec l'Irak. Ce sont les dirigeants occidentaux qui m'ont demandé de faire cela, y compris en intervenant pour que puisse avoir lieu la dernière visite effectuée en Irak par le Secrétaire général des Nations Unies, Perez de Cuellar. La « troïka[1] » m'a demandé de me rendre à Bagdad pour faciliter cette visite.

Q. — Y a-t-il eu aussi une demande des Occidentaux pour que vous facilitiez la restitution des otages ?

R. — Oui.

Q. — A aucun moment vous n'avez craint que Saddam Hussein n'utilise la cause palestinienne à ses propres fins ?

R. — Non. Dans son dernier discours, la seule chose qu'il ait mentionnée, en dehors du

1. Composée des ministres des Affaires étrangères du Luxembourg, des Pays-Bas et de l'Italie.

conflit lui-même, c'est bien la cause palestinienne, le peuple palestinien et l'O.L.P.

Q. — L'O.L.P. avait-elle bien soupesé toutes les conséquences de sa position : sur le devenir de la population palestinienne dans le Golfe, sur les finances de l'O.L.P. — revenus des Palestiniens et subsides des États —, sur la dégradation prévisible de son image internationale ?

R. — Les pertes des Palestiniens au Koweit sont très importantes : environ onze milliards de dollars. Il s'agit là des biens personnels des Palestiniens, de leurs avoirs dans les banques. Les pertes des Palestiniens dans les Territoires occupés, par suite de l'arrêt des flux financiers en provenance du Golfe, sont de l'ordre de 1,4 milliard de dollars par an.

Nous bénéficions de deux formes de soutien financier : une partie nous est accordée par de nombreux pays arabes : l'Irak, les États du Golfe, l'Afrique du Nord, etc. L'autre provient de l'« impôt » palestinien.

A présent, la situation est désastreuse au Koweit. Des crimes sont perpétrés contre les Palestiniens, qui les obligent à émigrer ; actuellement, 150 000 à 170 000 Palestiniens ne savent où aller. Cette situation est une honte non seulement pour le Koweit, mais pour l'ensemble des pays arabes, ainsi que pour la Coalition, les Nations Unies, l'opinion publique internationale, car la population palestinienne du Koweit est victime d'une vengeance de la part de milices venues de l'extérieur. Les Koweitiens qui sont restés sur place lorsque les Irakiens étaient là savent, quant à eux, combien les Palestiniens leur ont rendu service. Aujourd'hui, on est devant un nouveau Sabra et Chatila[1] : douze mille prisonniers, des morts entassés dans des fosses communes, la torture, l'humiliation, la famine. Les Palestiniens sont assiégés dans leurs quartiers, ils n'ont pas l'autorisation d'en sortir ou d'y entrer, et personne ne leur vient en aide, pas même les Nations Unies, ni l'État koweitien, ni la Croix Rouge internationale. Les instances internationales n'ont rédigé aucun texte à ce sujet, alors que toutes les informations leur ont été fournies. Ces rapports faisaient état de la détérioration de la situation, de l'insécurité, des problèmes de survie, du simple point de vue des droits de l'homme.

Q. — Avez-vous saisi la Commission des Droits de l'Homme des Nations Unies ?

R. — Nous avons informé le monde entier de

1. En septembre 1982, les massacres de Sabra et Chatila, camps palestiniens du Liban, font des centaines de victimes.

cette situation : les Nations Unies, la Commission des Droits de l'Homme, la Croix Rouge internationale, les pays de la Coalition, les États arabes, les États islamiques, les pays non-alignés, la Communauté européenne. A travers les médias américains et occidentaux, tout le monde peut constater ces crimes perpétrés quotidiennement contre les Palestiniens.

Q. — Compte tenu de ce que vous venez de décrire, est-il concevable pour vous de reprendre un jour des relations normales avec les pays du Golfe ?

R. — Il n'y a rien entre ces pays et nous. Certains d'entre eux ont pris position contre nous parce que nous n'avons pas accepté une présence étrangère en terre arabe. Notre attitude est bien connue : nous nous sommes opposés à la présence de forces étrangères sur le sol arabe et nous avons condamné l'agression contre l'Irak — mais, encore une fois, nous étions pour son retrait du Koweit. C'est là une position de principe, qui ne souffre pas de compromis. C'est une attitude constante : j'ai été officier de réserve pendant l'agression des trois puissances — France, Angleterre, Israël — contre l'Égypte[1], nous

1. Intervention de Suez en 1956.

avons été aux côtés de la Libye lors de l'agression américaine. Nous avons toujours été aux côtés de tous les pays qui ont été la cible d'agressions étrangères.

Q. — Vos relations avec l'Irak ont-elles toujours été bonnes pendant la crise, puis durant la guerre ?

R. — Nous ne retournons pas notre veste.

Q. — Est-ce que vous vous attendiez au déclenchement des hostilités, ou bien avez-vous pensé jusqu'au dernier moment que l'Irak négocierait ?

R. — Oui, nous l'avons pensé. Et si des efforts avaient été faits, le problème aurait été résolu. La guerre aurait pu être évitée.

Q. — Était-ce vraiment possible, compte tenu des intentions des uns et des autres telles que vous les avez décrites ?

R. — Les Américains ont été les leaders de la Coalition...

Q. — Qui porte, à votre avis, la responsabilité du déclenchement de la guerre : les pays de la Coalition ou l'Irak ?

R. — Le Président Saddam a dessiné la carte du Koweit devant Perez de Cuellar. C'était on ne peut plus significatif, à la fois pour le Secrétaire général des Nations Unies et pour le président de la « troïka ».

Q. — Que voulez-vous dire exactement ?

R. — Cela signifiait que Saddam Hussein reconnaissait l'existence du Koweit. Mais il y a tracé deux lignes : celle des « premières » frontières et celle de nouvelles frontières. Cela montrait qu'il était disposé à les négocier. Et quand James Baker a demandé à Tarek Aziz si l'Irak accepterait de se retirer du Koweit au cas où quelque progrès serait fait en faveur de la cause palestinienne, ou bien s'il ne faisait qu'exploiter cette même question palestinienne, Tarek Aziz a répondu publiquement devant la presse : « Testez-nous ».

Q. — Pourquoi Israël n'est-il pas entré dans la Coalition ?

R. — Israël était dans la guerre d'un point de vue militaire. Premièrement, Israël était une base stratégique pour les armes américaines. Des armements américains qui avaient été transportés d'Europe en Israël, puis vers le front, ont été utilisés. Il est également arrivé que des missiles de croisière aient été lancés depuis le sud d'Israël. Un porte-avions était ancré dans le port d'Haïfa — le *Forrestal* — et a participé aux hostilités. En outre, les forces américaines qui sont venues avec les missiles « Patriot », basés en Israël, ont bien participé à la guerre. Est-ce si innocent ? Tout cela, d'un point de vue militaire, fait partie des opérations. Selon les mêmes critères, la mobilisation armée fait également partie en soi des opérations.

Q. — Vous êtes bien le seul à le dire. Pouvez-vous le démontrer ?

R. — Le porte-avions *Forrestal* n'existe pas ? Des soldats américains se sont noyés dans les eaux territoriales, près d'Haïfa. Les missiles « Patriot » et leurs opérateurs étaient on ne peut plus visibles, et les armes de réserve américaines basées en Israël existent bel et bien.

Q. — Encore une fois, comment se fait-il que vous ayez été le seul à le dire ?

R. — Ce que je dis est vrai ou non ? Est-ce que quelqu'un d'autre que moi a parlé à l'époque de l'embrasement des champs pétrolifères ? Est-ce que je n'ai pas annoncé que ce serait une catastrophe pour l'environnement ? Aujourd'hui, les experts reconnaissent l'ampleur de cette catastrophe écologique.

Q. — En tout cas, l'analyse générale a conclu à une absence de riposte de la part d'Israël. D'où, pour ce pays, un « bénéfice » dans l'opinion internationale.

R. — Pour ce qui est de l'image d'Israël, c'est sans importance. Cela faisait partie de la propagande inhérente à cette guerre : Israël devait apparaître comme une victime aux yeux du reste du monde. L'objectif était seulement d'obérer le rôle des pays arabes de la Coalition.

Pendant ce temps, la situation des Palestiniens dans les Territoires occupés était dramatique. Le couvre-feu a duré plus d'un mois. Les habitants étaient loin d'être tous équipés de masques à gaz, alors qu'on en distribuait à tous les Israéliens.

Q. — Que pensez-vous de l'actuelle situation interne de l'Irak, des soulèvements chiites au Sud, de la résurgence du problème kurde au Nord ?

R. — La situation est maintenant contrôlée. L'endroit le plus dangereux, c'est le Sud. Dans le Nord, il y a aussi des difficultés, mais ces problèmes existent de longue date ; ils n'ont jamais cessé dans cette région : les Kurdes constituent d'ailleurs également un problème en Turquie, en Iran et en Union soviétique. Le cas des Kurdes est préoccupant.

Q. — Comment évaluez-vous en général le rôle de l'Iran, et plus particulièrement dans cette affaire interne irakienne ?

R. — Ce n'est pas clair. Mon opinion n'a pas changé, ne changera pas : l'Iran a toujours fait prévaloir ses intérêts nationaux sur l'intérêt général.

Q. — Estimez-vous que Saddam Hussein a la capacité de se maintenir au pouvoir ?

R. — A présent, l'enjeu, pour Saddam Hussein, n'est pas d'ordre militaire, mais de caractère économique.

Q. — Certains observateurs laissent entendre que la Syrie et l'Arabie Saoudite essaient de promouvoir une nouvelle force palestinienne, concurrente de l'O.L.P., qui serait destinée à la remplacer.

R. — Ni officiellement, ni de façon déclarée... Cela vaut pour la Syrie comme pour l'Arabie Saoudite.

Q. — Il y a quelque temps, le ministre des Affaires étrangères saoudien, Saoud el Fayçal, a rencontré en Syrie Abou Moussa, chef des dissidents palestiniens au Liban en 1983. Quelle est la signification de cette rencontre ?

R. — Il s'agit d'une provocation. Rien de plus. L'O.L.P. est beaucoup plus forte que cela. La guerre ne se limite pas à l'affrontement militaire. La bataille militaire est finie, mais la bataille politique commence. Or, cette guerre a créé des problèmes politiques beaucoup plus dangereux et compliqués qu'auparavant. Ce ne sont pas seulement les Arabes qui vont souffrir de leurs plaies, c'est aussi, en face d'eux, l'Europe. Pourquoi ? Parce que l'Europe, comme nous, est située au bord de la Méditerranée. Nous appartenons tous au Bassin méditerranéen.

Q. — A ce propos, que pensez-vous du projet de conférence sur la sécurité et la coopération en Méditerranée[1] qu'a lancé le ministre des Affaires étrangères italien, Giani de Michelis, et qui a récemment été évoqué avec faveur à Bruxelles par les ministres des Affaires étrangères de la C.E.E. ?

R. — Hier, j'ai reçu un envoyé spécial du ministre des Affaires étrangères italien qui m'a remis copie de ce projet. Depuis que cette idée a été avancée, nous avons eu une réaction positive, et nous sommes en train d'en étudier le contenu. Nous ferons part de nos commentaires à ce sujet.

1. La C.S.C.M. serait aux pays du pourtour de la Méditerranée ce que les accords d'Helsinki (C.S.C.E.) sont à l'Europe.

10.

Références

Q. — Hadj Amin Al Husseini[1] constitue une référence historique dans la mémoire palestinienne. Mais, depuis les années 50, vous êtes le seul leader de la Palestine, et vous bénéficiez d'un charisme unique aujourd'hui dans le monde arabe. Comment ressentez-vous cela ?

R. — Avant moi, il y avait Ahmed Choukeiri. Notre peuple est un peuple créateur. Il y a eu quelqu'un avant moi, il y en aura d'autres après moi. Notre peuple assure sa descendance. C'est un peuple hautement civilisé, le berceau des trois religions du Livre. Nous bénéficions du meilleur niveau d'éducation dans la région. Ce peuple m'a choisi, il choisira quelqu'un d'autre après moi.

1. Mufti de Jérusalem qui appela à la révolte en 1936.

Q. — Mahmoud Darwish est le plus célèbre des poètes palestiniens, le « chantre » de la Palestine. Je crois que vous l'aimez beaucoup. Que représente-t-il pour vous ?

R. — C'est notre Prince. C'est le prince de la poésie et le poète du peuple palestinien.

Mouïne Bissasso, lui, a été le poète de la révolution. Nous avons beaucoup de poètes. Chacun a son surnom.

Q. — C'est le 15 novembre 1988 qu'a eu lieu la proclamation de l'indépendance de la Palestine, avec toute sa portée symbolique. Est-ce que ce fut le plus beau jour de votre vie ?

R. — Oui, ce fut le plus beau jour de ma vie. Il marquait la fin du slogan brandi par les sionistes à Bâle en 1897 : « La Palestine est une terre sans peuple, pour un peuple sans terre ».

Q. — Pouvez-vous décrire précisément ce que vous avez ressenti à ce moment-là ?

R. — Certaines de vos questions sont gênantes. Comment peut-on parler de soi-même ? C'est à ceux qui étaient là d'expliquer ce que j'ai pu ressentir. Vous pouvez le décrire ; vous savez qu'il existe un film tourné ce jour-là.

Q. — On sent bien que vous êtes fier de la cause palestinienne. Avez-vous le sentiment de l'incarner profondément ?

R. — Il ne s'agit pas seulement de moi, mais du sang des martyrs palestiniens. Ensemble nous avons créé quelque chose pour notre peuple.

En 1947-48, notre terre était divisée, l'identité de notre peuple effacée. Notre drame a même été transformé aux Nations Unies en un problème de réfugiés, à travers l'U.N.R.W.A[1]. Mais, aujourd'hui, les choses ont évolué : la question palestinienne est devenue le problème numéro un aux Nations Unies. Lorqu'on l'interrogea au sujet du sort des Palestiniens, John Foster Dulles[2] répondit très explicitement que leur destinée était mauvaise, car les Palestiniens se trouvaient écrasés sous les pieds d'un éléphant. Désormais, ce peuple est devenu un tigre parmi les éléphants.

Q. — Vous avez parlé des martyrs palestiniens. Pouvez-vous dire quelques mots d'Abou Jihad et Abou Iyad, deux de vos compagnons les plus proches, tous deux assassinés à Tunis ?

R. — Est-il bien nécessaire de rouvrir cette blessure ? Ce sont des lumières qui ont illuminé notre chemin. Et nous suivons leurs pas.

1. Organisation des Nations Unies chargée des réfugiés palestiniens.

2. Secrétaire d'État américain dans les années 50.

Q. — Vous avez été vous-même victime de plusieurs tentatives d'assassinat ?

R. — Oui. Il y en a eu beaucoup. Je ne saurais les compter. Ariel Sharon a déclaré qu'il avait essayé de m'assassiner à treize reprises à Beyrouth !

Q. — Cela vous impose un mode de vie sans doute unique au monde. Vous ne dormez jamais au même endroit, vous voyagez sans cesse. Cela vous pèse-t-il ?

R. — Pour moi, ce sont là des choses normales. Il s'agit d'une révolution, pas d'un pique-nique !

Q. — Vous êtes aussi un musulman pratiquant. Vous avez effectué le pélerinage à La Mecque, comme tout musulman ?

R. — Oui, bien sûr.

Q. — Ammar fut le premier martyr de l'Islam. Pourquoi vous appelle-t-on Abou Ammar ?

R. — Dans la terminologie islamique, certains noms ont une signification, et les gens les reprennent. Yasser était le nom du père d'Ammar, premier martyr de l'Islam. Il est donc courant, pour les gens qui s'appellent Yasser, de choisir Ammar comme nom pour leur fils. Ce sont nos traditions.

Q. — Dans vos discours, vous étabissez un lien très fort entre nationalisme et religion. L'Islam y est très présent, parfois par des citations du Coran, parfois en filigrane. Cela vous vient-il naturellement à l'esprit ?

R. — Oui. J'estime qu'il n'y a pas de contradictions dans l'utilisation des termes se référant au nationalisme et à la religion : les uns complètent les autres. J'appartiens à cette terre sainte. Cela fait partie de moi, que ce soit dans mon cœur ou dans ma tête, et je ne puis l'oublier.

Q. — Vos convictions religieuses sont donc étroitement liées à votre action politique. Comment vous définissez-vous par rapport à l'Islam, et quel est l'apport de votre foi dans votre action ?

R. — Je suis un fervent croyant, et j'en suis fier. Dans le même temps, je suis un homme d'Histoire.

Nous atteindrons nos objectifs, et nos ennemis seront vaincus. Tous les dictateurs, tous les envahisseurs ont été vaincus, que ce soit au temps de l'occupation romaine, française, portugaise, espagnole, jusqu'à l'occupation américaine au Vietnam. Tel est le sens de l'Histoire, dans tout pays, quel qu'il soit.

Je vais vous raconter une histoire. Pour nous autres Palestiniens, quand nous étions sous occupation romaine, que s'est-il passé ? Un pêcheur palestinien, saint Pierre, est allé à Rome. Il n'a pas seulement occupé Rome, mais le cœur des Romains : voilà le sens de cette terre sainte. Voilà pourquoi nous nous battons !

Tous les Palestiniens sont fiers d'être originaires de cette terre sainte, car c'est celle des Prophètes. Les premiers martyrs du christianisme étaient natifs de cette terre. Cette tradition-là remonte aux origines de l'Histoire.

Q. — Vous venez d'évoquer le christianisme. Après avoir rencontré le pape Jean Paul II à Rome, vous avez effectué un voyage à Assise. Pourquoi ce choix ?

R. — J'ai fait le pélerinage d'Assise parce que saint François d'Assise était un homme de paix à l'époque des Croisades. C'est tout un symbole.

Lorsque j'ai rencontré Jean Paul II, j'ai eu l'impression, même en pleine guerre, que la paix demeurait possible.

11.

L'État palestinien

Q. — Vous êtes d'accord aujourd'hui pour entamer un dialogue direct avec les Israéliens sous les auspices de l'O.N.U.

R. — Oui, bien sûr, avec qui d'autre devrais-je dialoguer ? C'est notre position depuis le début : des négociations sous la supervision des Nations Unies et en présence des cinq membres permanents du Conseil de Sécurité.

Q. — Votre position est très « ouverte ». Vous voulez aller à la table de négociations sans préjuger de ce que sera le futur État palestinien ?

R. — C'est vrai, je n'ai pas posé de conditions préalables. Les Israéliens ont le droit d'apporter leurs idées à la table de négociations, mais j'ai dit que cela devait être fait selon les résolutions des Nations Unies, et en conformité avec le droit international. Telle est notre position.

Q. — Avez-vous obtenu des éléments de réponse de la part des responsables israéliens ?

R. — J'ai fait cette proposition sans obtenir de réponse. J'attends leurs réactions.

Q. — Pourquoi avez-vous rappelé cette position — dialogue direct avec Israël — juste après la rencontre entre James Baker et la délégation palestinienne de l'intérieur dirigée par Fayçal El Husseini[1] ?

R. — Il n'y a pas de rapport entre mes déclarations et cette rencontre. James Baker est venu se rendre compte de la situation dans la région, et il a formulé certaines idées concernant la normalisation des relations israélo-arabes : une sorte de nouveau Camp David israélo-arabe. Après quoi, il a parlé des droits des Palestiniens. Comme l'a résumé Bush : « Non à un État palestinien, non à l'O.L.P., et non à la réunion d'une conférence internationale ! » Dès lors, comment les Américains pourraient-ils instaurer la justice dans la région ? Cela montre qu'ils tiennent un double langage.

Q. — Quel est votre sentiment sur la rencontre

1. Rencontre du 12 mars 1991.

entre James Baker et la délégation palestinienne conduite par Al Husseini ?

R. — Cela constitue un pas. Nous avons donné notre approbation à la délégation palestinienne pour cette rencontre.

Q. — C'est bien vous, O.L.P., qui avez désigné la délégation palestinienne de l'intérieur ?

R. — Oui, bien sûr. Ils l'ont eux-mêmes confirmé. Ils ont montré mon autorisation écrite à James Baker.

Q. — Ne craignez-vous pas de voir les Américains dialoguer et tenter de négocier avec les seuls Palestiniens de l'intérieur ?

R. — Le peuple palestinien, à l'intérieur comme à l'extérieur, est unifié sous une seule direction, celle de l'O.L.P. Toute rencontre ayant eu lieu à l'intérieur des Territoires occupés s'est faite avec notre accord. Les Américains savent que rien ne peut avancer sans notre approbation. Tout cela est on ne peut plus clair.

Q. — L'O.L.P. demeure donc bien le seul représentant légitime du peuple palestinien ?

R. — Il n'y a aucun doute à ce sujet. Mais l'O.L.P. est bien plus que cela. L'O.L.P. représente notre identité nationale, les droits du peuple palestinien, l'avenir, l'espoir. C'est elle qui définit les moyens de parvenir à notre objectif commun. L'O.L.P. n'est pas seulement un organe politique.

Q. — Ce dialogue direct en présence des cinq membres permanents du Conseil de Sécurité de l'O.N.U., que vous proposez, équivaut à la réunion d'une conférence internationale. Quel délai voyez-vous pour la réunion de cette conférence que vous appelez de vos vœux ?

R. — Américains et Israéliens essaient de gagner du temps. Le Président Bush ne s'impliquera dans aucun problème de politique internationale avant la fin de l'année, c'est-à-dire dans sept ou huit mois. Ensuite, nous entrerons dans la période de deux ans qui précède les élections présidentielles américaines... Il y aura aussi l'échéance électorale israélienne...

Q. — Compte tenu de l'échéance électorale américaine, cruciale pour le Président Bush, et du poids du lobby juif aux États-Unis, les choses ont-elles une chance réelle d'avancer dans le sens que vous souhaitez ?

R. — Maintenant, la crédibilité, pas seulement celle de Bush, mais celle de l'Occident tout entier, est dans la balance. Car tous ont déclaré qu'après le règlement du problème koweitien, ils s'attacheraient à résoudre celui de la Palestine. Ils ont fait la guerre, ils ont refusé le lien entre la question palestinienne et celle du pétrole ; ils ont dit : nous verrons après le retrait irakien du Koweit. A présent, ce problème-là est résolu ; il est donc temps de s'efforcer de résoudre la question palestinienne.

Q. — Après les États-Unis, l'Union soviétique : quelle est exactement sa position aujourd'hui dans le conflit israélo-palestinien ?

R. — La position soviétique est celle que Bismertnekh, ministre des Affaires étrangères, a développée en présence de James Baker : l'Union soviétique soutient l'autodétermination des Palestiniens, et l'O.L.P. est le seul représentant du peuple palestinien. Pour l'U.R.S.S., il faut donc trouver une solution qui prenne en compte ces aspects-là.

Q. — Est-ce que cette position vous convient ?

R. — Oui. Il existe d'ailleurs un comité conjoint soviéto-palestinien. Il est composé, du côté palestinien, de deux membres du Comité exécutif de l'O.L.P. — Mahmoud Abbas (Abou Mazen) et Yasser Abd Rabbo — et, du côté soviétique, de Bismertnikh et de son assistant.

Q. — Compte tenu des difficultés internes de l'U.R.S.S., ce pays est-il aujourd'hui en mesure de jouer un rôle important dans la résolution du problème ?

R. — Oui, bien sûr.

Q. — Pouvez-vous rappeler la position officielle de la France ?

R. — La position française est celle qui a été exprimée par le Président Mitterrand lors du sommet de la Martinique[1] : autodétermination du peuple palestinien et création d'un État palestinien indépendant, réunion d'une conférence internationale, reconnaissance de l'O.L.P. comme seul représentant du peuple palestinien.

Q. — Vous êtes donc parfaitement en accord avec la position française ?

R. — Oui, j'ai moi-même souligné son caractère positif, et nous sommes en contact permanent avec le gouvernement français.

Q. — La position française vous est précieuse. Mais pensez-vous que la France puisse la faire prévaloir, notamment face à celle des Américains ?

R. — Il est vrai que les États-Unis, eux, sont une super-puissance. Mais la France est une puissance active au sein de la Communauté européenne. La France est l'un des membres permanents du Conseil de Sécurité de l'O.N.U. Son discours est bien perçu dans notre région,

1. Le sommet Bush-Mitterrand sur le Moyen-Orient a eu lieu le 14 mars 1991.

de l'Afrique du Nord jusqu'aux pays du Golfe. Elle dispose donc de beaucoup d'atouts.

Je suis sûr que la France continuera à œuvrer dans le sens du droit international, et sa position dans la crise du Golfe n'obère pas l'avenir.

Q. — Comment voyez-vous le futur État palestinien indépendant ?

R. — Il sera instauré dans le respect de la légalité internationale.

Q. — Quelles seront ses frontières ? Depuis 1974, vous avez parlé d'un État en Cisjordanie et à Gaza. C'est sur ce territoire que sera établi le futur État palestinien ?

R. — J'en reviens aux termes de l'initiative palestinienne exprimée lors du Conseil National Palestinien de 1988[1], basée sur les principes du droit international — pour nous, il est la base de tout. En ce qui concerne la nature de l'État, nous ne voulons pas seulement un État palestinien, mais un État palestinien *pour* les Palestiniens, où ceux-ci jouissent d'une complète égalité de droits, et où toutes les opinions politiques, toutes les convictions religieuses seront respectées ; où

1. Conseil national d'Alger, au cours duquel l'indépendance de la Palestine a été proclamée, en même temps que la Constitution de l'État palestinien.

prévaudront le respect de la dignité humaine dans le cadre d'un régime parlementaire et démocratique basé sur la liberté de parole, la pluralité des partis politiques, la protection des droits des minorités par la majorité, la justice sociale, la non-discrimination en matière de droits civiques, que ce soit pour des raisons de race ou de religion, la non-discrimination entre l'homme et la femme. Un État régi par la loi, caractérisé par la tolérance, et faisant partie intégrante de la Nation arabe.

Voilà ce que dit notre Constitution.

En ce qui concerne les frontières de cet État, ce seront celles qui sont prévues par la légalité internationale. C'est ce qu'exprime on ne peut plus clairement l'initiative de paix palestinienne. Vous insistez beaucoup sur ce point : quelle autre réponse attendez-vous de moi ? Est-ce une interview ou un interrogatoire ?

Q. — Prévoyez-vous que l'État palestinien soit démilitarisé ?

R. — Demande-t-on à Israël d'être démilitarisé ?

Q. — Une présence des Nations Unies — des Casques bleus — est-elle envisageable pour garantir les frontières ? Si oui, accepteriez-vous que la force des Nations Unies soit stationnée du côté palestinien ?

R. — Oui, c'est possible. Nous serions d'accord pour qu'elle soit basée chez nous.

Q. — Au sein de l'O.L.P., il existe un département chargé des questions économiques. Qu'avez-vous prévu en ce domaine pour le futur État palestinien ?

R. — Nous préparons cet aspect des choses, mais il a été mis en sommeil durant la guerre du Golfe. Nous allons nous y remettre.

Q. — Les analystes se sont beaucoup interrogés sur la viabilité économique d'un État palestinien. Quel est là-dessus votre avis ?

R. — Pourquoi ne demandez-vous pas comment Israël peut survivre ? Les Israéliens auraient-ils des réserves d'or, des gisements de pétrole ?

Q. — Vous faites ici allusion aux subsides américains... Pour vous-mêmes, vous aurez besoin de subsides venant notamment des pays arabes ?

R. — Nous possédons le seul élément déterminant : l'élément humain. Au surplus, personne ne peut dire : notre pays est pauvre. Un pays est un pays. C'est tout ce qui compte.

Q. — Y aura-t-il des élections lors de la création de l'État palestinien ?

R. — Oui, bien sûr. Nous avons déjà des élections. Nous en avons toujours eu. Nous avons réussi « un miracle de démocratie dans la jungle des fusils ».

Q. — Plus précisément, lors de la création de l'État, y aura-t-il des élections présidentielles ?

R. — Oui, il y en aura : des élections présidentielles et des élections législatives. Ce sont les termes mêmes de notre Constitution.

Q. — Vous êtes président de l'O.L.P. et de l'État palestinien proclamé en 1988. Est-ce que vous espérez être le futur Président de la Palestine, quand les choses seront devenues effectives ?

R. — Je suis le premier Président de l'État palestinien. Personnellement, je ne souhaite rien de particulier pour l'avenir.

Q. — Est-ce que vous envisagez la possibilité d'une confédération avec la Jordanie pour le futur État palestinien ?

R. — Ceci fait déjà l'objet d'une décision prise par notre Conseil National. Après l'indépendance, nous sommes favorables à l'établissement d'une telle confédération, basée sur la libre volonté des deux peuples, et résultant d'un consensus.

Q. — Qu'en pensent les Jordaniens ?

R. — Je viens de vous dire que telle est la décision de notre Conseil National.

Q. — Du côté palestinien, l'État existera, mais ce sera avant tout un symbole, car cela ne résoudra en rien le problème des réfugiés. La population palestinienne est de l'ordre de cinq millions. Le territoire de la Cisjordanie ne représente que 5 000 km^2...

R. — Nous ne serons pas les seuls dans ce cas : la proportion des Libanais qui vivent à l'étranger est plus importante que celle qui vit au Liban.

Q. — Vous parlez là d'une diaspora aisée, comparable à certains égards aux immigrés palestiniens du Golfe ou à ceux qui se sont installés aux États-Unis. Mais les Palestiniens du pourtour d'Israël, qui sont dans des camps, vivent, eux, dans des conditions très précaires.

R. — Les Palestiniens qui vivent dans le pourtour d'Israël jouissent de certains droits. En Jordanie, ils participent à la vie politique, à toutes les activités, et ils ont la nationalité jordanienne. En Syrie, ils participent également à toutes les activités. Quant aux Palestiniens qui vivent en Amérique du Nord et en Amérique du Sud, ils participent eux aussi à toutes les activités des pays dans lesquels ils vivent, et ils représentent une communauté très active.

Q. — Certes, mais, encore une fois, pour eux, l'État palestinien sera avant tout un symbole.

R. — L'État palestinien sera aussi le leur. Il sera le symbole de leur identité.

Q. — Il existe déjà des cartes d'identité palestiniennes[1]. Sur ces cartes figure une photographie de Jérusalem où l'on voit une mosquée et une église. Pourquoi pas de synagogue, alors que vous affirmez souhaiter que, dans le futur État palestinien, les trois religions du Livre cohabitent en harmonie ?

R. — Il s'agit là uniquement d'une photo, la photo de Jérusalem — vous la connaissez, elle est dans la grande salle. Le fait que l'on n'y voie pas de synagogue n'est pas intentionnel. Sur les photographies d'ensemble telles que celle-ci, on n'en aperçoit d'ailleurs jamais.

Voyez, par ailleurs, le symbole du Fatah : la croix, le chandelier de David et le croissant.

(Arafat dessine le sigle.)

Nous ne pouvons cependant utiliser ce symbole pour la carte d'identité, car c'est seulement celui du Fatah, alors qu'il s'agit de l'identité palestinienne. L'État palestinien sera bien démocratique, et chrétiens, musulmans et juifs pourront y vivre ensemble. D'ailleurs, des juifs sont membres du Fatah aux côtés des Palestiniens, car ils sont également Palestiniens.

Q. — Quel statut est prévu pour Jérusalem,

1. Ces cartes d'identité existent depuis le début de l'année 1990.

ville sainte, berceau des trois religions du Livre ?

R. — Comme je vous l'ai dit — c'est dans le plan palestinien — Jérusalem est la capitale de l'État palestinien.

Q. — Vous n'accepteriez pas que Jérusalem soit dotée d'un statut international ?

R. — Non, je suis attaché à nos principes. Je dois respecter ce qui a été entériné par notre Conseil National et qui a été déclaré à l'époque aux Nations Unies.

Q. — Pensez-vous que vous reverrez Jérusalem avant de mourir ?

R. — Oui. Vous avez mon invitation. Rendez-vous à Jérusalem !

ANNEXES

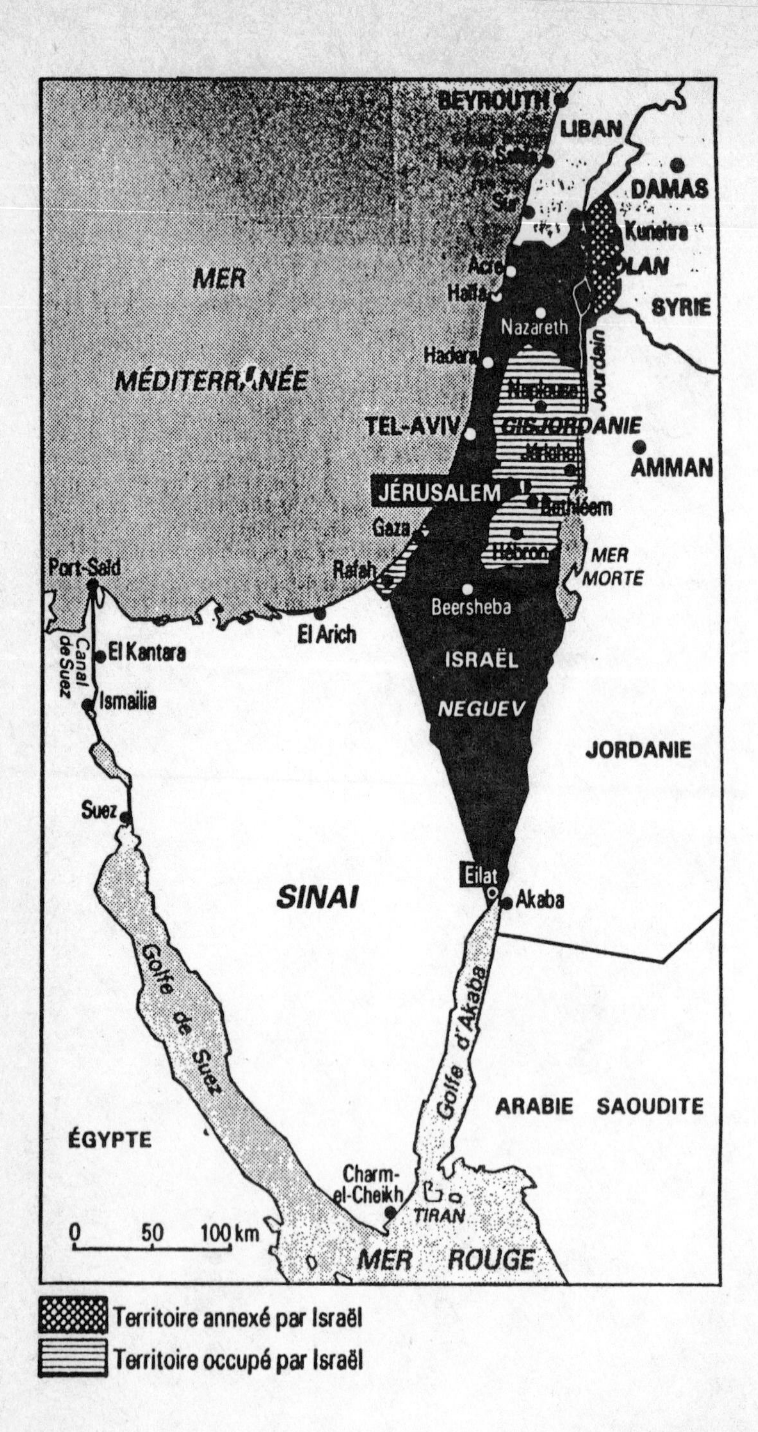

BEYROUTH
LIBAN
DAMAS
Sur
Kuneitra
Acre
Haïfa
SYRIE
MER
Nazareth
Hadera
MÉDITERRANÉE
Jourdain
TEL-AVIV
CISJORDANIE
AMMAN
JÉRUSALEM
Bethléem
Gaza
Hébron
MER
MORTE
Port-Saïd
Rafah
Beersheba
El Arich
Canal de Suez
El Kantara
ISRAËL
Ismaïlia
NEGUEV
JORDANIE
Suez
Eilat
SINAI
Akaba
Golfe de Suez
Golfe d'Akaba
ARABIE SAOUDITE
ÉGYPTE
Charm-el-Cheikh
TIRAN
0 50 100 km
MER ROUGE
Territoire annexé par Israël
Territoire occupé par Israël

Annexe 1

DONNÉES ESSENTIELLES DE LA QUESTION PALESTINIENNE

I. — LE TERRITOIRE

Le territoire concerné comporte trois éléments :

1. Le territoire d'Israël proprement dit, dont la superficie est de 20 700 km^2 ;
2. Les Territoires occupés en 1967 : la Cirsjordanie, dont la superficie est de 5 280 km^2 ; la bande de Gaza, dont la superficie est de 563 km^2 ;
3. Jérusalem, dont la partie Est, où se trouvent les lieux saints, appartient aux Territoires occupés en 1967, mais dont Israël a unilatéralement déclaré l'annexion et a fait, en juillet 1980, sa capitale.

Accessoirement, sont également occupés par Israël deux territoires non-palestiniens :

1. Depuis les guerres de 1967 et 1973, le plateau syrien du Golan ;
2. Depuis l'invasion du Liban en 1982, une « zone de sécurité » située au sud du Liban, entre le fleuve Litani et la frontière nord d'Israël.

II. — LES POPULATIONS

Les Israéliens sont au nombre de 3,7 millions, vivant pour la plupart sur le territoire d'Israël, mais aussi en nombre croissant dans des colonies de peuplement implantées dans les Territoires occupés.

Leur nombre croît en fonction des facteurs naturels, mais également grâce à l'immigration en provenance de la diaspora juive. En forte réduction au début des années 80, cette immigration a repris depuis que l'U.R.S.S. de Gorbatchev a levé les obstacles qui pesaient sur le départ des Juifs soviétiques pour Israël.

Immigration juive et colonisation des Territoires occupés sont fortement encouragées par le gouvernement israélien et vivement contestées par l'O.L.P., dans la mesure où elles rendraient plus difficile la restitution des Territoires occupés lors d'un éventuel accord de paix.

Les Palestiniens sont au nombre d'environ cinq millions. La majorité de cette population s'est réfugiée hors de Palestine lors des conflits successifs de 1948, 1956 et 1967, et forme une *diaspora* qui se répartit entre les camps de réfugiés situés dans les pays arabes du pourtour d'Israël, et des lieux d'immigration plus lointains. Cette diaspora peut être estimée à 3 millions de personnes. En son sein, les principales communautés sont les suivantes :

Jordanie	:	1 200 000
Liban	:	350 000
Syrie	:	280 000
Koweit	:	350 000

Une part importante de la population palestinienne vit dans les *Territoires occupés* : 930 000 personnes en Cisjordanie et 560 000 à Gaza[1].

Enfin, les *Arabes d'Israël*, qui vivent sur son territoire proprement dit et y jouissent de droits civils et politiques, sont 640 000.

En ce qui concerne la religion, on estime à 20 % la proportion de Palestiniens chrétiens et à 80 % celle des musulmans (sunnites).

III. — LES GUERRES

L'histoire de la question palestinienne est rythmée par les guerres israélo-arabes :

1948

Dès la proclamation de l'État d'Israël, les pays arabes voisins entrent en guerre contre lui. Les forces isréaliennes résistent à cet assaut. Un armistice intervient en 1949, et l'État d'Israël s'établit sur la quasi-totalité du territoire de la Palestine, placé jusque-là sous mandat britannique.

1. Source : *Atlas mondial de l'Islam activiste*, La Table Ronde, Paris, 1991.

1956

Après la nationalisation par Nasser du Canal de Suez, Français et Britanniques interviennent sur le Canal, tandis qu'Israël lance une offensive dans le Sinaï. C'est à la demande des États-Unis que l'intervention franco-britannique et, par ricochet, l'offensive israélienne, cessent, après que l'U.R.S.S. eut manifesté sa solidarité avec l'Égypte.

1967

En juin 1967, après une période de tension, Israël prend l'initiative du conflit. S'étant assurée en deux jours la maîtrise du ciel, l'armée israélienne conquiert sur l'Égypte la totalité du Sinaï, sur la Syrie le plateau du Golan, sur la Jordanie la rive ouest du Jourdain, et la partie Est de Jérusalem. C'est à l'occasion de ce conflit qu'est adoptée aux Nations Unies la résolution 242.

Le territoire conquis sur l'Égypte lui a été restitué dans le cadre du processus de Camp David, par la voie d'accords séparés signés avec Israël.

1973

En octobre 1973, c'est l'Égypte qui prend l'initiative, alliée avec la Syrie, la Jordanie restant neutre. Les armées arabes gagnent d'abord du terrain, les Égyptiens parvenant notamment à franchir le Canal de Suez et à avancer dans le Sinaï. Israël reprend ensuite l'avantage, et un cessez-le-feu intervient en application de la résolution 338 du Conseil de Sécurité des Nations Unies.

1982

Des forces palestiniennes ont participé à chacun des conflits précédents, mais sans y jouer un rôle majeur. Il en va différemment au Liban, où la résistance palestinienne s'est fortement implantée. En 1978, Israël pénètre au sud du pays où les Palestiniens ont leurs bases, ce qui vaut à cette région d'être surnommée le « Fatahland ». S'ensuit une semaine d'affrontements directs. C'est l'opération « Litani ».

Surtout, en 1982, la présence palestinienne au Liban n'ayant nullement cessé, Israël lance l'opération « Paix en Galilée », qui mènera ses forces jusqu'à Beyrouth. L'O.L.P. — avec l'appui des seuls Libanais — lui oppose une longue résistance, qui fait durer près de trois mois le siège de la capitale libanaise. A l'issue de ce conflit, l'O.L.P. quitte Beyrouth.

IV. — LES INSTITUTIONS

Israël

L'État hébreu est régi par une démocratie parlementaire.

Les deux forces politiques principales y sont : le Likoud, à droite, dont le chef est l'actuel Premier ministre, Itzak Shamir, et le parti travailliste, dirigé par Shimon Pérès.

Le régime électoral, favorable aux petits partis, et la dispersion des votes font qu'aucun de ces deux partis ne dispose à lui seul d'une majorité et qu'alternent, au cours des années 80, tantôt les « grandes coalitions » qui les réunissent, tantôt les alliances avec des petits partis qui les opposent.

Le Président de l'État d'Israël n'a pas de rôle politique réel ; c'est le Premier ministre qui, avec le gouvernement qu'il conduit, dirige le pays.

L'O.L.P.

Le 15 novembre 1988, un « État palestinien » est proclamé, Yasser Arafat en est le Président. Néanmoins, cet État, doté d'une constitution mais n'ayant pas d'assise territoriale, reste aujourd'hui un symbole.

• L'O.L.P. est présidée par Yasser Arafat. Ses organes principaux sont :

— Le Conseil National, qui tient lieu de « Parlement » ;

— Le Conseil Central ;

— Le Comité Exécutif, composé de 15 membres : Yasser Arafat (Abou Ammar), Fatah, président du comité exécutif ; Farouk Kaddoumi (Abou Lotf), Fatah, chef du département politique ; Mahmoud Abbas (Abou Mazen), Fatah, département des affaires nationales ; Mohamed Melhem, indépendant, département de l'éducation et de la culture ; le père Élias Khouri, indépendant ; Joweid Al Ghossein, indépendant, président du Fonds national palestinien ; Mahmoud Abbas (Aboul Abbas), Front de libération de la Palestine, département des réfugiés ; Abderrahim Ahmed, Front de libération arabe (FLA, pro-irakien), département des organisations populaires ; Abderrezak Yahia, indépendant, représentant de l'O.L.P. à Amman ; Jamal Sourani, indépendant ; Yasser Abd Rabbo, F.D.L.P. ; Abou Ali Mustapha, F.P.L.P. ; Souleiman Najab, Parti communiste palestinien ; Mahmoud Darwich, indépendant ; Abdallah Hourani, indépendant.

• L'O.L.P. est un agrégat de mouvements. Les principaux sont :

Le Fatah. Il a été constitué progressivement dans la seconde moitié des années cinquante. Pour le Fatah, la violence révolutionnaire (ou la « guerre populaire ») est la seule voie propre à libérer la Palestine ; elle devrait être menée par les « masses palestiniennes », avec ou sans le concours du monde arabe ; le mouvement palestinien doit être autonome et assumer un rôle d'avant-garde. On estimait en 1984 que le Fatah bénéficiait de la faveur de la grande majorité des Palestiniens et comptait dans ses rangs plus de 80 % des feddayins. Son chef, Yasser Arafat, a été élu président de l'O.L.P. le 3 février 1969. L'organe suprême du Fatah est son Comité Central, dont la composition au début 1991 était la suivante :

— *Président et Commandant général des forces d'Al Assifa (branche militaire) :* Yasser Arafat (Abou Ammar)
— *Sécurité unifiée :* Salah Khalaf (Abou Iyad)

— *Secrétaire général :* Farouk Kaddoumi (Abou Lotf)
— *Information :* Khaled El Hassan (Abou Saïd)
— *Relations nationales et internationales, premier secrétaire général adjoint :* Mahmoud Abbas (Abou Mazen)
— *Affaires sociales :* Mme Intissar Wazir (Oum Jihad)
— *Affaires étrangères :* Hani El Hassan
— *Organisation :* Mohamed Ghoneim (Abou Maher)
— *Mobilisation idéologique :* Salim Azzaânoun (Abou Al Adib)
— *Finances :* Ahmed Korei (Abou Al Alaa)
— *Responsable de la délégation politique :* Taïeb Abderrahim
— *Deuxième secrétaire général adjoint, adjoint au responsable de la sécurité unifiée :* Hakam Balaoui
— *Mobilisation militaire :* Sakhr Habch (Abou Nizar).

Le F.P.L.P. (Front populaire de libération de la Palestine), présidé par le Docteur Georges Habache, est fondé en octobre 1967 par les animateurs palestiniens du « Mouvement des nationalistes arabes » qui essaime, dès sa création au début des années cinquante, dans l'ensemble de la région, grâce notamment à son orientation pro-nassérienne. Le F.P.L.P., qui se réclame du marxisme, poursuit un double objectif : combattre tous les régimes arabes « réactionnaires » ou « liés à l'impérialisme », et « libérer toute la Palestine du sionisme ». Il s'est néanmoins rallié, à contrecœur, au programme de l'O.L.P. prévoyant la création d'un État palestinien en Cisjordanie et à Gaza.

Le F.D.L.P. (Front démocratique de libération de la Palestine) que dirige Nayef Hawatmeh, est né d'une scission du F.P.L.P. en février 1969. Il se réclame également du marxisme et prône depuis sa fondation un « dialogue démocratique avec les progressistes israéliens ». Il s'était fait, avant le Fatah, le champion d'un « mini-État » en Cisjordanie et à Gaza. Mais, après la rupture de Yasser Arafat avec le président Assad en 1983, il conclut une alliance avec le F.P.L.P. et se rapproche des organisations d'obédience syrienne pour combattre l'orientation du chef de l'O.L.P. En 1987, le F.D.L.P. comme le F.P.L.P. se rallient au Fatah.

Les autres mouvements, beaucoup moins représentatifs, qui composent l'O.L.P. sont :

Le F.P.L.P.-C.G. (Front populaire de libération de la Palestine-Commandement général) qui a fait sécession avec le F.P.L.P. en 1968 sous l'impulsion d'Ahmed Jibril. L'organisation est soutenue essentiellement par la Syrie. En 1977, une nouvelle scission a donné naissance au F.L.P. (Front de libération de la Palestine).

La Saïka a été fondée en mars 1968 par le parti Baas en Syrie. Dotée de moyens financiers importants et d'un armement moderne, elle entretient des forces militaires substantielles. Elle n'a pas rejoint l'O.L.P. lors du Conseil National d'avril 1987 qui a vu une réunification presque totale du mouvement.

Le F.L.A. (Front de libération arabe), fondé en avril 1969 par le parti Baas d'Irak, est le « bras palestinien » du régime de Bagdad.

Le P.C.P. (Parti communiste palestinien) a pour la première fois obtenu un sien au Conseil exécutif lors du Conseil National d'avril 1987.

V. — LES PRINCIPAUX DIRIGEANTS PALESTINIENS (en résidence à Tunis)

YASSER ARAFAT (ABOU AMMAR)

Président du Comité exécutif de l'O.L.P. (C.E.O.L.P.)

ABOU IYAD[1] *(SALAH KHALAS)*

Numéro deux de l'O.L.P. Appartient au Fatah (Comité central). Membre du Comité exécutif. Chargé notamment des questions de sécurité.

ABOU LOFT (Farouk KADDOUMI)

Chef du Département politique de l'O.L.P. Membre du Comité exécutif. Appartient au Fatah (Comité central).

1. Abou Iyad a été assassiné à Tunis en janvier 1991.

ABOU JAAFAR

Directeur général du Département politique. Participe au dialogue américano-palestinien. Coordonne les contacts diplomatiques de l'O.L.P.

ABOU YAHIA

Directeur du Département politique. Membre du Fatah (Comité central). Coordonne l'action des représentants permanents de l'O.L.P.

AL-FAHOUM (Khaled)

Conseiller pour les Affaires européennes au Département politique.

AL-HERFI (Salmane)

Conseiller pour les Affaires africaines au Département politique

ABDEL OLA (Hussein)

Directeur du Bureau central des Bourses au Département politique.

ABD RABBO (Yasser)

Chef du Département de l'Information. Numéro deux du F.D.L.P. (Hawatmeh). Membre du Comité exécutif. Dirige la délégation palestinienne chargée du dialogue avec les Américains.

ABOU MAZEN (Mahmoud ABBAS — ne pas confondre avec Mahmoud ABBAS, alias ABOUL-ABBAS)

Chef du Département des Affaires nationales. Membre du Comité exécutif. Appartient au Fatah (Comité central). Chargé du dialogue avec l'Union soviétique.

ABBAS ZAKI

Directeur général du Département des Affaires nationales. Membre du Fatah (Comité central). Chargé de suivre la situation dans les Territoires occupés.

ABDERRAHMANE (Ahmed)

Porte-Parole de l'O.L.P. Appartient au Fatah.

BALAOUI (Hakam)

Ambassadeur, représentant de l'O.L.P. auprès de la Tunisie.

ABOU AL ALAA

Chef du Département des Affaires économiques. Membre du Fatah (Comité central).

NAJAB (Soleïman)

Chef du Département de la Santé. Membre du Comité exécutif. Dirigeant du parti communiste palestinien.

HOURANI (Abdallah)

Chef du Département de la Culture. Membre du Comité exécutif. Indépendant.

ABOU ALI MUSTAFA

Chef du Département des Palestiniens à l'étranger. Membre du Comité exécutif. Dirigeant du F.P.L.P. (Habache).

EL-HASSAN (Khaled)

Président de la Commission des Affaires étrangères du Conseil national palestinien. Membre du Fatah. Réside à Tunis et au Koweit.

ABOU CHARIF (Bassam)
« Conseiller » de Yasser ARAFAT.

V. — LES POSITIONS DIPLOMATIQUES

Position des Nations Unies :

RÉSOLUTION 242 DU CONSEIL DE SÉCURITÉ (22 novembre 1967)

Le Conseil de Sécurité,

Exprimant l'inquiétude que continue de lui causer la grave situation au Moyen-Orient,

Soulignant l'inadmissibilité de l'acquisition de territoires par la guerre et la nécessité d'œuvrer pour une paix juste et durable permettant à chaque État de la région de vivre en sécurité,

Soulignant en outre que tous les États membres, en acceptant la Charte des Nations Unies, ont contracté l'engagement d'agir conformément à l'article 2 de la Charte,

1. Affirme que l'accomplissement des principes de la Charte exige l'instauration d'une paix juste et durable au Moyen-Orient qui devrait comprendre l'application des deux principes suivants :

(i) Retrait des forces armées israéliennes des territoires occupés lors du récent conflit ;

(ii) Cessation de toutes assertions de belligérance ou de tous états de belligérance et respect et reconnaissance de la souveraineté, de l'intégrité territoriale et de l'indépendance politique de chaque État de la

région et de leur droit de vivre en paix à l'intérieur de frontières sûres et reconnues à l'abri de menaces ou d'actes de force ;

2. Affirme en outre la nécessité

(a) De garantir la liberté de navigation sur les voies d'eau internationales de la région ;

(b) De réaliser un juste règlement du problème des réfugiés ;

(c) De garantir l'inviolabilité territoriale et l'indépendance politique de chaque État de la région, par des mesures comprenant la création de zones démilitarisées ;

3. Prie le Secrétaire général de désigner un représentant spécial pour se rendre au Moyen-Orient afin d'y établir et d'y maintenir des rapports avec les États intéressés en vue de favoriser un accord et de seconder les efforts tendant à aboutir à un règlement pacifique et accepté, conformément aux dispositions et aux principes de la présente résolution ;

4. Prie le Secrétaire général de présenter aussitôt que possible au Conseil de Sécurité un rapport d'activité sur les efforts du représentant spécial.

(*Source :* O.N.U.)

RÉSOLUTION 338 DU CONSEIL DE SÉCURITÉ (22 octobre 1973)

Le Conseil de Sécurité,

1. Demande à toutes les parties aux présents combats de cesser le feu et de mettre fin à toute activité miltaire immédiatement, douze heures au plus tard après le moment de l'adoption de la présente décision, dans les positions qu'elles occupent maintenant ;

2. Demande aux parties en cause de commencer immédiatement après le cessez-le-feu l'application de la Résolution 242 (1967) du Conseil de Sécurité, en date du 22 novembre 1967, dans toutes ses parties ;

4. Décide que, immédiatement et en même temps que le cessez-le-feu, des négociations commenceront entre les parties en cause sous les auspices appropriés en vue d'instaurer une paix juste et durable au Moyen-Orient.

(*Source :* O.N.U.)

Position des États-Unis

La référence américaine est aujourd'hui celle du Plan Baker, qui se situe dans l'esprit de Camp David. Aucune mention concernant l'existence future d'un État palestinien n'y figure. Il ne prévoit pas non plus que l'O.L.P. participe aux négociations. C'est essentiellement pour ces deux raisons que l'O.L.P. le conteste.

Position de l'Union soviétique

L'U.R.S.S. est depuis longtemps favorable à la création d'un État palestinien indépendant, et, pour y parvenir, à la réunion d'une « conférence internationale, spécialement convoquée à cet effet[1] ».

1. Proposition de l'U.R.S.S. du 30 juillet 1984.

Position de la C.E.E.

En 1980 — Déclaration de Venise —, le Conseil Européen déclare « le droit à l'existence et à la sécurité de tous les États de la région, y compris Israël, et à la justice pour tous les peuples, ce qui implique la reconnaissance des droits légitimes du peuple palestinien[1] ».

Position de la France

Dès 1981, lors de son voyage en Israël, François Mitterrand affirme le droit des Palestiniens à l'autodétermination. Depuis lors, et très récemment encore, après la Guerre du Golfe, le Président français a indiqué qu'il était favorable à la création d'un État palestinien indépendant, et à la réunion d'une conférence internationale. L'O.L.P. doit bien évidemment reconnaître l'État d'Israël dont les frontières seront « sûres ». La France a donc une position « en pointe » sur cette question dont le règlement constitue pour elle une priorité[2].

1. En décembre 1990, le Conseil européen, réuni à Rome, réitère son « engagement de longue date en faveur d'une solution juste et durable », et réaffirme « son soutien au principe de la convocation, au moment approprié, d'une conférence internationale de paix sous l'égide des Nations Unies ».

2. Le 24 septembre 1990, François Mitterrand s'adresse à l'Assemblée générale des Nations Unies et indique qu'un processus doit être mis en œuvre pour résoudre la question des « Palestiniens en proie à la désespérance, tentés par toutes les aventures pour satisfaire leurs légitimes aspirations à la possession d'une terre qui serait leur Patrie et dans laquelle ils pourraient créer les structures étatiques de leur choix ».

Position israélienne

Le gouvernement d'Itzak Shamir refuse toute négociation avec l'O.L.P. et l'établissement d'un État palestinien en Cisjordanie et à Gaza[1]. Selon le « Plan Shamir », seul un statut d'autonomie pourrait être envisagé dans les Territoires occupés. En ce qui concerne la résolution du conflit israélo-arabe, seules des négociations bilatérales entre Israël et chacun des États arabes concernés — Jordanie, Syrie — sont à ce jour acceptées.

Position palestinienne

L'O.L.P. revendique la création d'un État palestinien indépendant dans les Territoires occupés de la rive ouest du Jourdain et de Gaza. Elle est prête à entamer un dialogue direct avec Israël sous les auspices de l'O.N.U. — présence des cinq membres permanents du Conseil de sécurité et application des résolutions 242 et 338 des Nations Unies — sans conditions préalables de la part du camp adverse.

1. La position travailliste est en évolution : Shimon Pérès déclare le 21 mars, dans un article publié par la revue *Passages*, qu'il accepterait une restitution des Territoires occupés — sauf Jérusalem — en échange de la paix. Il ajoute : « Bien entendu, il faudrait créer à ce niveau une zone démilitarisée ». Il indique également n'être « pas hostile à une conférence internationale sous la houlette des deux grandes puissances, États-Unis et U.R.S.S., et qui concernerait les peuples et les États du Moyen-Orient ».

Annexe 2

CHRONOLOGIE

1947-1967

29 novembre 1947. — Adoption du *Plan de partage* de la Palestine par l'Assemblée générale des Nations Unies : institution sur ce territoire d'un État juif et d'un État arabe indépendants, et statut international spécial pour Jérusalem.

9-10 avril 1948. — Massacre des habitants du village palestinien de Deir Yassin par l'Irgoun (organisation armée israélienne, de droite).

14 mai 1948. — *Proclamation de l'État d'Israël.* Le 15, les armées arabes pénètrent en Palestine.

1948-1949. — Guerre de Palestine, dont l'État hébreu sort victorieux. Armistices signés entre Israël et ses voisins arabes.

11 mai 1949. — L'État d'Israël devient membre de l'O.N.U.

24 avril 1950. — Annexion de la Cisjordanie par la

Transjordanie, tandis que l'Égypte administre Gaza.
Octobre 1951. — Israël refuse le plan de paix de l'O.N.U. accepté par l'Égypte, la Syrie, le Liban et la Jordanie.

Avril 1955. — La Conférence de Bandoeng fait mention des « droits du peuple palestinien ».

Octobre 1959. — Premier Congrès du Fatah, créé au Koweit.

29 mai 1964. — *Création*, à l'initiative de la Ligue arabe, *de l'Organisation de Libération de la Palestine* (O.L.P.) consacrée par le premier Conseil National palestinien (C.N.P.) à Jérusalem. Président élu : Ahmed Choukeiri.

21 avril 1965. — Plan Bourguiba proposant une solution par étapes du problème palestinien sur la base du Plan de partage de 1947.

5-10 juin 1967. — « Guerre des Six jours » : Israël occupe la Cisjordanie, Jérusalem-Est, Gaza, le Sinaï et le Golan. Le 28, annexion du secteur arabe de Jérusalem.

24 septembre 1967. — Le gouvernement israélien décide d'installer des kibboutz en Cisjordanie et dans le Golan.

22 novembre 1967. — Résolution 242 du Conseil de Sécurité de l'O.N.U.

1968-1973

Mars 1968. — Attentat à la bombe en Israël contre un autobus transportant des écoliers. Les Israéliens

attaquent le village jordano-palestinien de Karameh et sont repoussés.
Création, en Syrie, de la Saïka.

17 juillet 1968. — Quatrième Conseil National palestinien : révision de la Charte nationale palestinienne de 1964.

1-4 février 1969. — Cinquième Conseil national palestinien : l'O.L.P. est centrée autour du Fatah, sous la présidence de Yasser Arafat.

Septembre 1969. — Sixième Conseil national palestinien : adoption du projet d'« État démocratique et laïque unitaire ».

Octobre 1969. — Confrontations palestino-libanaises au Liban. *Accords du Caire* (3 novembre).

Février et juin 1970. — Troubles violents entre forces palestiniennes et armée jordanienne. Accord de cohabitation jordano-palestinien (10 juillet).

29 juillet-4 août 1970. — Acceptation par l'Égypte, la Jordanie et Israël du « Plan Rogers » en vue d'appliquer la résolution 242 des Nations Unies. Rejet par l'O.L.P., l'Irak et la Syrie.

Septembre 1970. — A la suite de plusieurs détournements d'avions vers l'aéroport de Zarka (Jordanie), revendiqués par le F.D.L.P., violents combats palestino-jordaniens *(Septembre noir)*. La bataille d'Amman fait de 10 à 20 000 morts. Cessez-le-feu le 27 septembre. Le 28, mort de Nasser, remplacé le 15 octobre par Anouar el Sadate. Accords d'Amman entre Palestiniens et Jordaniens (jamais appliqués), signés le 13 octobre.

Juillet 1971. — Démantèlement complet des bases

palestiniennes au nord de la Jordanie et expulsion des feddayin. *La résistance se replie* pour l'essentiel *au Liban.*

28 novembre 1971. — Assassinat de Wasfi Tall, Premier ministre jordanien, revendiqué par le groupe « Septembre noir ».

Janvier 1972. — Raids israéliens contre des bases palestiniennes au Liban. Premiers affrontements libano-palestiniens.

25-28 février 1972. — Interventions militaires israéliennes au Liban : pénétration de l'armée dans la région de l'Arkoub ; bombardement de camps palestiniens.

14 mars 1972. — Plan du roi Hussein : un royaume arabe uni ménageant une province palestinienne autonome. Rejeté par les autres pays arabes, par l'O.L.P. et par Israël.

28 juin 1972. — Accord libano-palestinien sur la limitation du nombre de feddayin au Liban et du nombre d'opérations contre Israël.

Septembre 1972. — Le 5, prise d'otages meurtrière (11 morts israéliens) lors des Jeux Olympiques de Munich, revendiquée par le groupe « Septembre noir ». Le 8, bombardements israéliens au Sud-Liban (14 morts civils libanais et palestiniens). Le 15, l'U.R.S.S. condamne officiellement le terrorisme palestinien.

2-17 mai 1973. — Conflit à Beyrouth entre bases palestiniennes et armée libanaise. Le 17, protocole de Melkart amendant les accords du Caire de 1969.

6-26 octobre 1973. — *Quatrième guerre israélo-arabe.* Résolution 339 du Conseil de Sécurité de l'O.N.U.

21 décembre 1973. — A Genève, Conférence de la paix au Proche-Orient : mise en place du processus devant conduire à un accord de désengagement égypto- puis syro-israélien.

1974

18 janvier. — Accord égypto-israélien de désengagement militaire, dit du « kilomètre 101 ».

15-19 mai. — Le 15, prise d'otages à Maalot en Israël (26 Israéliens tués), revendiquée par le F.P.L.P.-Commandement général et par le F.D.L.P. ; elle est suivie de représailles israéliennes : bombardement de six camps palestiniens et de six villages libanais — 60 morts.

31 mai-5 juin. — Accord syro-israélien de désengagement militaire.

1er-9 juin. — Douzième Conseil national palestinien admettant l'idée d'une autorité palestinienne sur un territoire limité.

1er et 8 août. — Reconnaissance par l'U.R.S.S. de l'O.L.P. ; ouverture d'un bureau de l'O.L.P. à Moscou.

26-28 octobre. — Septième sommet arabe à Rabat déclarant *l'O.L.P. seul représentant des Palestiniens.*

13 novembre. — Arafat à l'Assemblée générale de l'O.N.U. L'O.L.P. obtient le statut d'observateur.

1975-1976

8 mars 1975. — Proposition d' H. El Assad, acceptée par Y. Arafat, d'un commandement commun, politique et militaire, syro-palestinien.

13 avril 1975. — Début de la *guerre civile libanaise.*

Janvier 1976. — L'O.L.P. est admise aux délibérations du Conseil de Sécurité sur le Proche-Orient avec les mêmes droits qu'un État membre.

30 mars 1976. — « Journée de la terre », organisée par les Palestiniens dans les Territoires occupés : importantes manifestations.

12 avril 1976. — Élections municipales en Cisjordanie occupée : victoire des sympathisants de l'O.L.P.

31 mai 1976. — *Intervention de l'armée syrienne au Liban*, saluée par les phalangistes, contre les forces de la résistance palestinienne et de la gauche libanaise. Le siège du camp palestinien de Tell el-Zaatar, notamment, se solde par des centaines de morts et de disparus.

16 et 25-26 octobre 1976. — Sommet restreint de Ryad, puis huitième sommet arabe au Caire : en vue de mettre fin à la guerre civile libanaise, création d'une force arabe de dissuasion (F.A.D.), principalement syrienne.

1977

12-20 mars. — Treizième Conseil national palestinien : décision d'établir *un État indépendant sur tout territoire libéré* par Israël. Pas de mention explicite de la récupération « totale » du sol palestinien, à la différence du texte de 1974.

17 mai. — Élections israéliennes favorables au Likoud et mise en place du gouvernement Begin. Le 20, celui-ci déclare que « la résolution 242 n'oblige pas Israël à se retirer de Cisjordanie ».

25 juillet. — Accord de Chtaura (Liban) entre l'O.L.P. et l'État libanais : déploiement de la Force arabe de dissuasion (FAD) autour des camps ; réglementation de la présence palestinienne au Liban ; remplacement, dans le Sud, des forces palestiniennes par l'armée libanaise.

14 août. — M. Begin décide d'étendre aux populations des Territoires la législation israélienne.

1er octobre. — Déclaration d'intention soviéto-américaine (Vance-Gromyko) pour la paix au Proche-Orient.

1978

11 mars. — Attaque de trois autobus, près de Tel-Aviv, par un commando du Fatah. 37 morts, dont les neuf assaillants.

12-19 mars. — Invasion israélienne du Sud-Liban. L'armée israélienne se retire ensuite progressivement entre avril et juin.

17 septembre. — Accords-cadres de *Camp David* entre l'Égypte, Israël et les États-Unis. Réactions arabes unanimement négatives.

12 octobre. — Ouverture de la négociation de paix égypto-israélo-américaine à Washington.

1979

26 mars. — *Traité de paix entre l'Égypte et Israël* signé à Washington, avec participation américaine. Le 27, le sommet arabe de Bagdad décide de transférer le siège de la Ligue arabe du Caire à Tunis.

25 mai-3 juin. — Première session de la Commission tripartite États-Unis-Égypte-Israël sur l'autonomie de la Cisjordanie et de Gaza. Les réunions se poursuivent tant bien que mal jusqu'en août 1982.

1980

2 mai. — Attentat contre des colons israéliens d'Hébron (Cisjordanie).

2-8 juin. — Attentats antipalestiniens contre les maires cisjordaniens de Naplouse, Ramallah, El Bireh, Hébron.

13 juin. — Déclaration des Neuf de la C.E.E. à Venise sur le Proche-Orient.

30 juillet. — Adoption par la Knesset d'une « loi fondamentale » proclamant Jérusalem « réunifiée » capitale d'Israël.

24 septembre. — Début de la guerre entre l'Irak et l'Iran.

25 novembre. — Onzième sommet arabe d'Amman,

en l'absence des pays du « Front de la fermeté » (Syrie, Algérie, Libye, Yémen du Sud, O.L.P.).

1981

7 juin. — Raid israélien sur une centrale atomique en construction à Tamouz (Irak).

17 juillet. — Bombardements israéliens au Liban : destruction à Beyrouth des quartiers généraux du Fatah et du F.D.L.P.

7 août. — Plan Fahd où s'esquissent déjà les grandes lignes du Plan de Fès. Rejeté par la Knesset le 3 novembre.

1982

Mars. — Troubles graves dans les Territoires occupés.

26 avril. — Restitution du Sinaï à l'Égypte.

Juin-juillet-août. — *Invasion israélienne du Liban* (opération « Paix en Galilée ») ; bombardements intensifs sur Beyrouth à la mi-août.

21 août-3 septembre. — Envoi d'une force multinationale au Liban pour assurer l'évacuation des Palestiniens. Départ de 10 000 Palestiniens du Liban à destination de divers pays arabes. Y. Arafat quitte Beyrouth le 30 août à destination d'Athènes.

1er septembre. — « Plan Reagan ».

6-9 septembre. — Douzième sommet arabe à Fès : adoption du « Plan de Fès ».

14-18 septembre. — Assassinat de Bechir Gemayel

(Président du Liban depuis le 23 août) et entrée des forces israéliennes dans Beyrouth-Ouest. Massacres dans les camps palestiniens de Sabra et Chatila par des milices libanaises. Les forces israéliennes, qui contrôlent le secteur, n'interviennent pas.

20 septembre. — Projet Hussein de confédération jordano-palestinienne.

21-29 septembre. — Envoi d'une nouvelle force multinationale au Liban. Évacuation de Beyrouth-Ouest par les forces israéliennes.

30 novembre. — L'O.L.P. invite le groupe arabe de l'O.N.U. à demander à l'Assemblée générale la mise en œuvre du Plan de partage de 1947.

1983

13-24 février. — Seizième Conseil national palestinien (Alger) : adoption du « Plan de Fès ».

10 avril. — Assassinat d'Issam Sartaoui, personnalité modérée de l'O.L.P., à Lisbonne.

25 mai. — Dans l'O.L.P., « révolte des colonels », dirigée par Abou Moussa, contre Y. Arafat.

24 juin. — Expulsion de Y. Arafat de Syrie.

Novembre. — Les Syriens et les dissidents assiègent à Tripoli (Liban) les forces de Yasser Arafat.

20 décembre. — Sous protection française, départ de Tripoli de Yasser Arafat et de 4 000 « loyalistes ».

22 décembre. — Rencontre Arafat-Moubarak.

1984

Février-mars. — Crise libanaise : démission du gouvernement Wazzan. Prise de Beyrouth-Ouest par les milices d'Amal ; les combattants du Parti socialiste progressiste de W. Joumblatt investissent la montagne ; les Marines, puis les contingents britannique et italien quittent Beyrouth.

24 juillet. — Élections législatives en Israël, conduisant les deux grands partis à former, après plusieurs semaines de tractations, un « gouvernement d'union nationale ».

9 août. — Y. Arafat, en visite en Jordanie, se déclare d'accord sur le principe d'une confédération jordano-palestinienne.

22-29 novembre. — Dix-septième Conseil national palestinien à Amman, en l'absence du F.P.L.P., du F.D.L.P., du P.C.P. et des pro-syriens ; Arafat est réélu président du Comité exécutif.

13 avril. — Quatre Palestiniens, auteurs du détournement de l'autobus Ashqelon-Tel Aviv (le 12), sont tués par l'armée israélienne.

27 avril. — Démantèlement, en Israël, d'un réseau terroriste juif.

30 juillet. — Proposition soviétique pour le Proche-Orient.

29 décembre. — Assassinat à Amman de Fahd Kawasmeh, membre (modéré) du Comité exécutif de l'O.L.P.

1985

15 janvier. — Annonce d'un retrait « par étapes » des troupes israéliennes du Liban. Le retrait sera terminé en juin, à l'exception d'une bande frontalière contrôlée par l'« Armée du Liban-Sud » du général pro-israélien Lahad (successeur du colonel Haddad, implanté dans la zone depuis 1978).

11 février. — Adoption à Amman, par le roi Hussein et Yasser Arafat, d'une déclaration commune, dite « Accord jordano-palestinien ».

Printemps. — Nouveaux massacres à Sabra et Chatila et dans les autres camps palestiniens du Liban, cette fois du fait des miliciens chiites d'Amal, soutenus par la Syrie.

25 mars. — Création à Damas du Front du Salut national palestinien, regroupant plusieurs organisations d'opposition à Arafat : le F.D.L.P., le F.P.L.P.-Commandement général, le F.L.P., la Saïka et les partisans d'Abou Moussa.

24 septembre. — Assassinat de trois Israéliens dans le port de Larnaca, à Chypre, suivi, le 1er octobre, d'un *raid de l'aviation israélienne sur le quartier général de l'O.L.P. en Tunisie* (70 morts).

7 octobre-23 novembre-27 décembre. — Trois actes de terrorisme spectaculaires : détournement du navire de croisière italien *Achille Lauro* (un mort) ; détournement sur Malte d'un Boeing d'Egypt Air dont l'assaut par les forces de sécurité égyptiennes fait 60 morts ; attentats terroristes (attribués à Abou Nidal) contre les aéroports de Rome et de Vienne (19 morts et 15 blessés).

1986

19 février. — Le roi Hussein « gèle » l'accord jordano-palestinien du 11 février 1985.

2 mars. — Assassinat de Zafer El Masri, maire de Naplouse.

Juillet. — Fermeture à Amman des 25 bureaux du Fatah, expulsion d'Abou Jihad et de nombreux autres responsables palestiniens.

5 septembre. — Attentat contre une synagogue d'Istanbul ; Israël met en cause le groupe d'Abou Nidal.

6 septembre. — Assassinat à Athènes d'un dirigeant palestinien modéré, Mondher Abou Ghazala.

24 novembre. — Violente reprise de la « guerre des camps » au Liban entre Palestiniens et miliciens chiites d'Amal, soutenus par les Syriens.

26 novembre. — Violentes manifestations anti-arabes en Israël et dans les Territoires occupés.

1987

25 mars. — Six organisations palestiniennes d'opposition à Yasser Arafat réunies en une coalition prosyrienne, le F.S.N.P. (F.P.L.P., F.D.L.P., F.P.L.P.-C.G., F.L.P.P., F.L.P., Fath-C.R. [groupe d'Abou Nidal]), publient, dans le cadre de la préparation du 18e Conseil National palestinien, un document exigeant notamment l'abrogation de l'accord d'Amman de février 1985 et la rupture avec l'Égypte.

4 avril. — Liban : accord, mettant fin à la « guerre des camps », entre le mouvement chiite Amal et les organisations palestiniennes pro-syriennes.

15-18 avril. — 18e Conseil National palestinien à Alger. Toutes les organisations d'opposition, à l'exception de la Saïka et du groupe d'Abou Nidal, réintègrent l'O.L.P. L'accord d'Amman est abrogé. La politique de Camp David est condamnée, mais les relations avec l'Égypte ne sont pas formellement rompues. L'unité se fait notamment sur la perspective de conférence internationale. Les observateurs s'accordent à voir dans cette réunion une victoire de Y. Arafat et un échec de la Syrie.

Mai. — Shimon Pérès fait état d'un « document de travail » américain mentionnant, outre la Résolution 242, les « droits légitimes du peuple palestinien ».

21 mai. — Abrogation par le Parlement libanais des accords libano-palestiniens du 3 novembre 1969.

5 juin. — Hanna Siniora, rédacteur en chef du quotidien arabe de Jérusalem *Al Fajr*, annonce son intention de présenter une liste palestinienne aux élections municipales de novembre 1988.

24 juin. — Grève générale, massivement suivie, de la population arabe d'Israël, protestant contre la discrimination et réclamant l'égalité.

9 décembre. — Premier jour de l'*Intifada* qui commence à Gaza.

1988

16 avril. — Assassinat d'Abou Jihad à Tunis par un commando israélien.

31 juillet. — Décision du roi Hussein de rompre les liens administratifs et légaux entre son pays et la Cisjordanie.

13 septembre. — Yasser Arafat est reçu au Parlement européen à Strasbourg.

1er novembre. — Élections législatives en Israël, qui conduisent à la constitution d'un gouvernement d'entente nationale.

12-15 novembre. — 19e Conseil National palestinien réuni en session extraordinaire à Alger, au cours duquel Yasser Arafat annonce la déclaration d'indépendance de l'État de Palestine. Le C.N.P. accepte que les résolutions 242 et 338 de l'O.N.U. constituent la base d'une conférence internationale de paix, et rejette le terrorisme sous toutes ses formes.

7 décembre. — A l'issue d'une médiation suédoise , Yasser Arafat adopte la « déclaration de Stockholm » dans laquelle l'O.L.P. affirme reconnaître deux États en Palestine, l'un juif, l'autre palestinien.

14 décembre. — Les États-Unis acceptent d'entamer un dialogue avec l'O.L.P. La première rencontre a lieu le 16 à Tunis.

1989

5 janvier. — Le Président Mitterrand annonce la décision d'élever le bureau de liaison et d'information de l'O.L.P. à Paris au rang de « délégation générale de la Palestine ».

29 janvier. — Fayçal al Husseini, directeur du Centre d'Études arabes de Jérusalem, libéré après une nouvelle détention de six mois, réclame des élections libres, sans conditions, sous supervision internationale, et avec l'accord de l'O.L.P.

2 mars. — Assassinats de membres de l'O.L.P. au Liban : Issam Salem, représentant de l'O.L.P., et B. Hourahi, officier de la force 17.

2 avril. — Visite de Yasser Arafat à Paris au cours de laquelle il déclare la Charte palestinienne « caduque ».

21 mai. — Réintégration de l'Égypte au sein de la Ligue arabe au cours du sommet réuni à Casablanca.

21 mai. — A Damas, le Front de Salut national palestinien (F.S.N.P.) pro-syrien appelle à la réunion d'un sommet arabe pour mettre un terme à la politique de concessions de Yasser Arafat.

14-17 mai. — Plan Shamir qui réaffirme le refus israélien d'envisager la création d'un État palestinien et de négocier avec l'O.L.P.

27 juin. — Déclaration de Madrid : les Douze estiment que l'O.L.P. doit non seulement être associée au processus de paix, mais y participer.

10 septembre. — Plan de paix en 10 points présenté par le Président Moubarak sur les modalités d'élections dans les Territoires occupés.

Octobre. — Plan Baker en 5 points.

1990

9-10 janvier. — Le Département d'État demande au gouvernement israélien une réponse rapide au Plan Baker qui insiste sur la nécessité de faire participer à la délégation palestinienne deux Palestiniens « de l'extérieur ».

4 février. — Attentat contre un car de tourisme israélien près d'Ismaïlia, qui fait 10 morts et 16 blessés. Arrestation, le 6, dans le cadre de l'enquête, de 60 personnes, dont un Palestinien. Le 8, la presse officieuse égyptienne critique l'ambiguïté de la position de l'O.L.P. sur le terrorisme.

13 mars. — Crise ministérielle en Israël, rupture de la coalition d'union nationale. Le Premier ministre, Shamir, limoge son ministre des Finances, Pérès, en raison de leurs divergences sur l'avenir des Territoires occupés.

20 mai. — A Gaza, un Israélien ouvre le feu sur un groupe de Palestiniens, provoquant la mort de sept d'entre eux.

22 juin. — Rupture du dialogue américano-palestinien, à l'initiative de Washington, après que l'O.L.P. a refusé d'exclure de ses rangs Aboul Abbas, chef du F.L.P., responsable de la tentative de débarquement sur les plages israéliennes d'un commando, le 30 mai.

2 août. — Invasion du Koweit par l'Irak.

12 août. — Proposition irakienne de lier le retrait irakien du Koweit au retrait israélien des Territoires occupés.

15 octobre. — Fusillade de l'Esplanade des deux mosquées, à Jérusalem, qui provoque la mort de 22 Palestiniens.

3 novembre. — Abou Iyad demande qu'un dialogue s'instaure de façon officielle entre le gouvernement libanais et l'O.L.P. pour organiser la présence palestinienne au Liban.

1991

3 janvier. — Réouverture du Consulat général d'Israël à Moscou, qui consacre le dégel des relations israélo-soviétiques amorcé en 1988. Celui-ci va permettre une émigration massive des Juifs soviétiques. En 1990, le chiffre a atteint 200 000 personnes.

12 janvier. — Le mouvement Hamas lance un appel à la guerre sainte contre la coalition anti-irakienne et à l'escalade de la violence contre Israël dans son 69e communiqué, distribué dans les Territoires occupés.

14 janvier. — Assassinat d'Abou Iyad et d'Abou Houl à Tunis.

16 janvier. — A la veille du déclenchement de la guerre du Golfe, l'armée israélienne impose un couvre-feu dans les Territoires occupés, qui sera levé progressivement à partir du 10 février.

17 janvier. — Déclenchement de l'offensive terrestre « Tempête du désert ».

5 février. — La Knesset entérine l'entrée au gouvernement de Rahavam Zeevi, chef du parti religieux

Moledet, partisan de l'expulsion des Palestiniens hors des Territoires occupés.

12 mars. — Rencontre en Israël entre le secrétaire d'État américain James Baker et une délégation palestinienne de l'intérieur conduite par Fayçal Al Husseini.

14 mars. — Sommet Bush-Mitterrand à la Martinique.

17 mars. — Yasser Arafat rappelle qu'il accepterait un dialogue direct avec Israël sous l'égide de l'O.N.U.

1er avril. — Le général Ehud Barak est promu chef d'état-major des armées israéliennes. Il succède à Dan Shomron.

4 avril. — Le gouvernement israélien transmet aux États-Unis un plan de paix pour le Proche-Orient prévoyant notamment, pour la première fois, la tenue d'une conférence réunissant Israël et les pays arabes.

8 avril. — Nouveau voyage de James Baker au Proche-Orient.

Annexe 3

ENTRETIENS AVEC ABOU IYAD

Notice biographique

Abou Iyad (Salah Khalaf) est né en 1933 à Jaffa qu'il quitte avec sa famille en 1948 pour Gaza, d'où il rejoint Le Caire en 1951.

Il y rencontre Yasser Arafat et milite à l'Union des Étudiants Palestiniens, à la présidence de laquelle il lui succédera en 1956. Il retourne en 1957 à Gaza où il devient instituteur et écrit deux pièces de théâtre. Il se rend au début de 1959 au Koweit où il participe à la fondation du Fatah, puis se consacre à ce mouvement, au Koweit, en Jordanie, en Syrie et au Liban.

A la fin de 1967, il prend la tête de son service de contre-espionnage. Il joue parallèlement un rôle important dans l'établissement des relations avec les régimes arabes, et accompagne Yasser Arafat dans plusieurs de ses voyages dans les capitales du Tiers-monde.

Il tente d'abord d'éviter la rupture avec le roi Hussein lors des événements de 1970, puis, celle-ci étant consommée, il s'oppose vivement au souverain hachémite, ce qui lui vaut d'être suspecté d'être le chef clandestin de l'organisation « Septembre noir » (auteur de l'attentat de Munich de septembre 1972 contre les athlètes israéliens), ce qu'il nie catégoriquement.

Il rejoint Beyrouth où il s'oppose aux avancées syriennes, et s'attache à éviter les conflits entre Palestiniens et chrétiens libanais, puis à les réconcilier. Il reste au Liban avec Arafat jusqu'au bout, pendant le siège de Beyrouth en 1982, puis durant la bataille de Tripoli en 1983.

Il s'installe ensuite à Tunis. En 1990, il devient chef de tous les services de sécurité de l'O.L.P.

Partisan d'une ligne réaliste vis-à-vis d'Israël, il appuie la démarche qui conduit l'O.L.P. à adopter des positions favorables à une solution négociée.

Lorsque la crise du Golfe éclate, sans se démarquer officiellement des positions prises par l'O.L.P., dont il est conscient qu'elles sont mal perçues et nuisent à son image internationale, il adopte une ligne très modérée et multiplie les propos destinés à les tempérer. Partisan et artisan d'une solution arabe négociée de cette crise, il échoue et est assassiné à Tunis, le 14 janvier 1991, à la veille du déclenchement de l'offensive par la Coalition[1] (17 janvier).

1. Les entretiens qui suivent ont eu lieu de décembre 1989 à mai 1990. Abou Iyad s'y est exprimé en son nom personnel. Ses propos n'engagent donc nullement Yasser Arafat, ni l'O.L.P. J'ai tenu à les publier à titre posthume.

Q. — En quoi consistent vos nouvelles attributions au sein de l'O.L.P. ?

R. — C'est la même fonction. Simplement, auparavant, j'étais responsable de la sécurité de tous les organes de l'O.L.P., alors que je suis maintenant responsable, en plus, de la sécurité interne du Fatah. Comme vous le savez, tout service de renseignement s'occupe de la sécurité ; c'est à ce titre que je m'occupe de celle de l'O.L.P., de celle de la diaspora, des informations que cette dernière transmet, ainsi que des informations qui nous viennent d'Israël concernant les Israéliens. Il s'agit donc à la fois de la sécurité du territoire et du contre-espionnage. Le problème le plus difficile qui se pose est que nous n'avons pas un seul territoire : les organes de l'O.L.P. sont répartis en plusieurs endroits. Il faut assurer leur sécurité et s'occuper en outre de tous les déplacements, dans le monde arabe et dans le reste du monde. Il faut également faire face à la « guerre des services » entre Palestiniens et Israéliens.

Q. — Où et quand avez-vous rencontré Yasser Arafat pour la première fois ? Comment s'est déroulé votre premier contact ?

R. — La première fois, c'était dans un camp d'entraînement avec l'armée égyptienne, pour combattre les visées britanniques. Ça s'est passé quelques mois avant la révolution nassérienne. Nous avons ensuite été ensemble au sein de l'Union des Étudiants Palestiniens, jusqu'en 1956. Puis nous avons commencé à œuvrer tous les deux à la création du Fatah.

Q. — Quels furent vos rapports avec Yasser Arafat au cours de cette période égyptienne ?

R. — Abou Ammar avait une certaine avance sur nous, car il était officier. Il sortait d'une école militaire. Nous, nous recevions une formation générale. Je n'étais pas avec Abou Ammar au moment des entraînements, puisqu'il était officier, mais nous nous rencontrions néanmoins et, depuis cette date, nous sommes restés ensemble.

Q. — Quelle impression vous a faite le Président aux débuts de votre longue amitié ?

R. — Arafat avait une présence qui s'imposait aux étudiants ; il était politiquement très actif. Nous avons passé quatre ans ensemble à l'Union des Étudiants Palestiniens. Toutes les pensées d'Arafat allaient vers la Palestine. Comment organiser un mouvement, créer un parti pour la Palestine : voilà ce qui l'occupait sans relâche.

Q. — Personnellement, de quelle époque datez-vous votre prise de conscience politique ? En quelles circonstances s'est-elle produite ?

R. — Le fait le plus marquant pour moi a été la sortie de Jaffa[1], en 1948. L'atmosphère faisait penser au Jour dernier.

Q. — Comment avez-vous organisé le Fatah, premier mouvement de la résistance palestinienne ?

R. — Les premiers échanges d'idées ont eu lieu alors que nous étions désespérés par les positions

1. En 1948, des militaires israéliens pénètrent dans la ville de Jaffa. La violence de leur intervention entraîne l'exode des populations palestiniennes qui y résident.

des différents partis arabes existants. L'occupation de Gaza en 1956 nous a aussi beaucoup marqués. A partir de ce moment-là, nous nous sommes demandé comment organiser la résistance à Gaza. Il y avait déjà un groupe de résistants. Nous avons essayé d'entrer en contact avec eux. En 1957, les idées ont continué à s'exprimer sur la forme d'organisation possible, et c'est en 1958 que nous avons très clairement arrêté notre position à ce sujet.

Q. — Quel a été votre rôle au sein du Fatah lors de sa création ?

R. — A cette époque, l'organisation était secrète. Chacun travaillait dans sa spécialité. Abou Ammar et Abou Jihad s'occupaient de l'organisation militaire, tandis que nous, nous essayions de recruter des adhérents. Abou Mazen[1], Abou Lotf[2], Kamal Adwan[3] travaillaient eux aussi au recrutement.

Q. — Quelle était la position du Fatah par rapport au « mouvement nationaliste arabe » ?

R. — Par principe, nous étions contre tous les partis, qu'ils fussent nassériens ou baassistes.

Q. — Pourquoi ?

R. — Les partis se préoccupaient tous de la cause palestinienne. Mais, en fait, les partis nationalistes l'utilisaient ; ils prétendaient qu'une fois l'unité

1. Mehmoud Abbas (Abou Mazen), membre du C.E.-O.L.P., chef du département des affaires nationales de l'O.L.P.

2. Farouk Kaddoumi (Abou Lotf), membre du C.E.-O.L.P., chef du département des affaires étrangères de l'O.L.P.

3. Kamal Adwan, membre du Comité central du Fatah, responsable des Territoires occupés. Assassiné à Beyrouth en 1972.

arabe réalisée, ils s'occuperaient de la cause palestinienne. Il en allait de même des partis islamistes ; ceux-ci affirmaient qu'une fois l'État islamiste en place, ils s'intéresseraient à la cause palestinienne.

Au sein du Fatah, nous avons compris que la route jusqu'à la Palestine serait longue, car chacun avait un excellent prétexte pour retarder l'instant d'en voir le bout. Au demeurant, le Fatah a toujours demandé un encadrement militaire et une aide économique aux pays arabes, sans obtenir beaucoup de résultats.

Q. — Estimez-vous que la situation est toujours la même, que la position des pays arabes est restée identique ?

R. — J'appartiens toujours au Fatah, et je suis toujours contre les partis politiques.

Sans généraliser, on peut dire que la majorité des pays arabes n'ont guère changé d'attitude. Lorsque les Palestiniens ont été en difficulté, aucun d'eux n'est venu nous aider ; les occasions ont pourtant été nombreuses. Le cas de l'Irak est particulier : avant 1978, nous étions ennemis, alors que depuis cette date, nous sommes très proches. Pour ce qui est du Maghreb — à l'exception de la Libye —, il fait tout son possible pour nous aider. En revanche, du côté des pays du Machrek[1], c'est tout autre chose...

Q. — Vous venez de citer quelques pays arabes. Parlons de la Jordanie. Quelle est votre analyse

1. Le Moyen-Orient.

des événements de septembre 1970, dit « Septembre noir[1] », qui ont abouti à une exode massif des Palestiniens vers le Liban ?

R. — Revenons un peu en arrière. Notre présence en Jordanie date de 1967, après la guerre des Six jours au cours de laquelle Israël a occupé la Cisjordanie, Gaza, le Golan, le Sinaï et Jérusalem-Est. Le régime hachémite, à l'époque, était fragile. Pour nous, les années 1967-69 ont constitué une sorte de « lune de miel » de la révolution palestinienne avec tous les régimes arabes, et pas seulement avec la Jordanie.

C'est au début de 1970 que les ennuis ont commencé. Nous avons été responsables de certains actes ; les Jordaniens en ont fomenté d'autres.

Après la défaite arabe de 1967, il y avait une certaine désorganisation au sein de notre mouvement, qui était mal perçue de la population jordanienne. Le régime jordanien a alors mis sur pied des services chargés de prendre en faute les Palestiniens, des feddayin de l'O.L.P., et parfois même d'accentuer leurs erreurs.

Q. — Que voulez-vous dire par là ?

R. — Premier exemple : il était négatif de voir des hommes armés dans les rues. Certains feddayin faisaient du racket chez les commerçants. Les mouvements de la gauche palestinienne — je ne veux pas mentionner de noms — qui sont apparus à ce moment-là se livraient à certaines pratiques

1. Violents combats à Amman entre Palestiniens et armée jordanienne, qui font des milliers de victimes civiles.

néfastes. Les gauchistes pensaient que pour être « de gauche », il leur fallait inscrire leurs slogans sur les murs des mosquées. Certains, au cours de réunions qui se tenaient en plein air, attaquaient ouvertement le roi Hussein. D'autres s'en prenaient à des officiers ou à des membres des services de renseignements jordaniens qui habitaient dans des quartiers où nous étions fortement implantés.

Tous ces exemples pour vous dire que cela donnait évidemment une mauvaise image de nous. Mais il est tout aussi vrai qu'on a trop mis l'accent sur la « palestinisation » du pays, sans examiner ce qui se passait du côté jordanien. Les Jordaniens ont eu peur de se retrouver isolés dans leur propre pays, d'être écartés de certains domaines...

Q. — Comment les Palestiniens réagissaient-ils ? Et les Jordaniens ?

R. — En fonction des couches sociales, les Palestiniens d'origine jordanienne se sentaient plutôt Jordaniens ou plutôt Palestiniens. Les Jordaniens ont commencé à être inquiets à cause de ces slogans qui fleurissaient un peu partout, disant que la seule vérité qui s'imposait était la révolution. Ils se sentaient débordés. Quand, par exemple, les officiers jordaniens qui avaient été maltraités dans nos quartiers ont demandé une autorisation de sortie, les autorités la leur ont refusée. C'est à ce moment-là qu'a commencé la manœuvre des services de renseignement jordaniens ; ils se sont mis à expliquer à leurs officiers qu'ils risquaient d'être tués par les Palestiniens. Leurs familles étant restées sur place, dans les quartiers contrôlés par l'O.L.P., ils ont eu peur pour elles, et la haine des Palestiniens n'a fait qu'augmenter.

Le premier accrochage a eu lieu en février 1970, le deuxième en juin, le dernier en septembre.

A la suite de ces accrochages, les officiers ont obtenu des autorisations de sortie. Mais certains feddayin étaient nerveux, et les services de sécurité jordaniens misaient sur des incidents entre Palestiniens et officiers du régime.

Q. — Comment en est-on arrivé à l'affrontement direct et final ?

R. — Le plan des Jordaniens visait à démontrer aux États-Unis et aux pays arabes qu'eux seuls étaient en charge de la cause palestinienne.

De novembre 1969 jusqu'à septembre 1970, une opération continue à été menée par des officiers jordaniens manipulés contre les Palestiniens.

En septembre, expérience unique dans l'Histoire, une armée a attaqué violemment la capitale de son propre pays. Elle a tout cassé, comme pour se venger. Ce fut la bataille finale que vous connaissez.

Q. — Cet affrontement a abouti à l'exode des populations palestiniennes vers le Liban. Comment le mouvement s'y est-il organisé ?

R. — On a analysé les fautes que nous avions commises en Jordanie, surtout au début. Au Liban, on a travaillé avec le mouvement national de Kamal Joumblatt[1], puis de son fils Walid Joumblatt. Nous n'avons pas commis les mêmes actes négatifs au Liban qu'en Jordanie, mais il s'est produit autre chose : des groupuscules utilisaient notre nom et les gens de la rue nous faisaient porter la responsabilité de certaines actions dans lesquelles nous n'étions pas impliqués.

Q. — Les Palestiniens se sont surtout implantés au Sud-Liban. On a même donné à cette région le nom de « Fatahland ». Pourquoi ?

R. — Cette implantation visait à organiser des opérations contre Israël et à protéger notre population dans les camps. Mais le « Fatahland » est une légende. Les bases militaires se trouvaient dans les villages libanais, non dans des régions spécifiquement « palestiniennes ».

Q. — Pourquoi le Premier ministre jordanien a-t-il été assassiné ? Par qui ?

R. — Les accrochages de Jerash et Ajloun, en 1971, ont été encore plus graves que ceux du Septembre noir. Wasfi-el-Tall est redevenu Premier ministre après septembre. C'est lui qui a conçu le plan destiné à faire sortir les Palestiniens d'Amman et à les envoyer à Jerash, en se portant garant que personne ne les toucherait. Le regroupement des Palestiniens à Jerash et Ajloun a duré six mois. Mais, fin juin, début juillet 1971, Wasfi el-Tall a décidé d'attaquer, alors que l'état-major de l'O.L.P.

1. Kamal Joumblatt fonde le Parti socialiste progressiste (P.S.P.) en 1949. Après la défaite arabe de juin 1967, il se prononce en faveur de la résistance palestinienne. Assassiné le 16 mars 1977. Son fils Walid lui succède à la tête du parti.

se trouvait au Caire où nous assistions à une réunion de notre Conseil national. Cette opération a été terrible : des chars renversaient les gens et passaient sur leur corps.

Cinquante feddayin ont réussi à s'échapper d'Ajloun pour se rendre en Israël. Ils ont même demandé asile en Israël ! Cela a provoqué un sentiment de révolte au sein des organisations palestiniennes qui ont résolu de se venger de cette opération. Toutes les organisations comportant des extrémistes se sont alors regroupées autour de « Septembre noir[1] ». Leurs actions ont duré de 1972 à 1974. Certaines ont visé des Israéliens. Il y a également eu à Khartoum[2] l'attaque dirigée contre les Américains. Nous ne pouvions pas à ce moment-là enrayer ce phénomène, car chaque organisation utilisait notre appellation pour ses propres opérations. Même Abou Nidal[3] l'a fait.

Pour revenir à l'assassinat de Wasfi el-Tall, la raison essentielle en est sa responsabilité directe

1. Il s'agit cette fois de l'organisation qui se crée à la suite des affrontements de septembre 1970 en Jordanie et qui se fait connaître sous le nom de « Septembre noir ».

2. Le 1er mars 1973, les militants de « Septembre noir » envahissent l'ambassade d'Arabie Saoudite où l'on donne une réception en l'honneur du nouveau chargé d'affaires américain. Ce dernier est exécuté, ainsi que l'ambassadeur des États-Unis et le chargé d'affaires belge.

3. Abou Nidal, de son vrai nom Sabri al Banna, s'oppose à la politique menée par l'O.L.P. à partir de 1974 et crée alors le Fath-Conseil révolutionnaire, qui mène de nombreuses actions terroristes. Il a été condamné à mort par contumace par l'O.L.P.

dans l'opération de Jerash et Ajloun, ainsi d'ailleurs que dans les événements du Septembre noir, car, à l'époque, s'il n'était pas Premier ministre, il participait à la cellule de crise. Je l'ai vu moi-même au Palais, habillé en kaki.

Q. — Les opérations menées par « Septembre noir » avaient-elles un lien avec celles du F.P.L.P. de Georges Habbache ?

R. — Non. On a commencé à identifier les différents responsables à partir d'opérations comme celle d'Abou Daoud[1] en Jordanie, ou celle de Khartoum. L'assassinat de Wasfi el-Tall a été bien accueilli par la population. En revanche, l'opération de Khartoum n'a pas été populaire.

Q. — Comment le Fatah percevait-il les opérations du F.P.L.P. qui ont déclenché le terrorisme international par des détournements d'avions et des prises d'otages dans les années 70 ?

R. — Nous y étions tout à fait opposés. La première action de ce type s'est déroulée en 1969 ; il s'agissait du détournement d'un avion israélien, lequel n'a pas été condamné par la population, d'autant qu'il s'est terminé de façon pacifique. Au surplus, il n'y avait pas encore à l'époque de résolution du Conseil National à ce sujet.

Le gros problème a été l'affaire de l'aéroport de Mafraq, qualifié d'« aéroport de la révolution », où plusieurs avions ont été détournés

1. Abou Daoud, membre du Fatah, soupçonné de préparer un attentat visant à assassiner le roi Hussein, est arrêté par les autorités jordaniennes.

simultanément[1]. De violentes discussions ont eu lieu alors, au point que des membres de l'O.L.P. ont été accusés de trahison. Le F.P.L.P. donnait prétexte aux Jordaniens pour frapper l'O.L.P. Nous avons fait évacuer tous les passagers, en dépit des bombardements intensifs de ce mois de septembre. Car, ne l'oublions pas, cette opération s'est déroulée en Jordanie en même temps que les affrontements armés entre Palestiniens et Jordaniens dont nous avons parlé tout à l'heure. Encore aujourd'hui, il reste des points d'interrogation concernant ce détournement d'avions : comment un groupe du Front Populaire a-t-il pu faire atterrir cinq appareils en Jordanie au moment même des affrontements ? Les Renseignements généraux égyptiens ont joué en la circonstance un rôle important pour faire libérer les passagers.

Q. — A la même époque, une autre affaire a fait sensation, l'« affaire Abou Daoud », dans laquelle certains vous ont impliqué. Que pouvez-vous en dire ?

R. — Abou Daoud était en Jordanie en 1970. Il était donc bien placé pour mesurer l'ampleur du massacre. Il était partisan d'une tentative d'assassinat contre le roi Hussein et a organisé le recrutement de certains éléments du Fatah afin de préparer cet assassinat. Mais, comme nous avions infiltré son réseau, ce plan a échoué.

1. Des commandos du F.P.L.P. de Georges Habbache détournent des avions de lignes internationales sur l'aéroport de Mafraq, en Jordanie.

En ce qui concerne mes rapports personnels avec Abou Daoud, il n'existait pas vraiment entre nous de relations directes, ni même de rapports de caractère professionnel. Nous avions des relations amicales ; c'est jusqu'à aujourd'hui un ami. Quand il fut emprisonné, j'ai été choqué et l'ai défendu. C'est sans doute pourquoi certains ont dit que j'étais le patron de « Septembre noir ». Lorsqu'il est sorti de prison, j'en ai été très heureux. Abou Daoud est aujourd'hui conscient que des opérations terroristes extérieures auraient des conséquences négatives pour la cause palestinienne. Après avoir été libéré, il est resté absent du mouvement pendant un certain temps.

Abou Daoud a tout raconté à la télévision jordanienne. Il n'a pas mentionné mon nom, mais il en a cité d'autres ; ces personnes étaient proches de moi à l'époque où j'étais responsable de Ras Amman[1]. Elles ont quitté Ras Amman à l'époque d'Abou Youssef et ont créé un organe de renseignement distinct de Ras.

Q. — Quelles fonctions occupiez-vous au début des années 70 ?

R. — A cette époque-là, je n'étais plus responsable de la sécurité. Je l'ai été de 1968 à 1971. C'est moi qui ai présenté ma démission. Dès 1969, j'avais mis en garde contre certains débordements, mais personne ne m'écoutait. Lorsque « Septembre noir » s'est produit, je suis resté responsable de la sécurité, car on ne peut abandonner

1. Dénomination d'un service de renseignements.

son poste pendant la guerre. Mais, quelques mois plus tard, j'ai présenté ma démission. Très peu de gens le savent. J'ai quitté la sécurité de 1971 à 1974. A ce moment-là, c'est Abou Youssef An Najar, un de nos martyrs, qui a occupé ce poste. Après lui, il y a eu Abdel Hamid Ghulouf. Entre 1971 et 1974, j'ai été chargé de l'organisation du mouvement au Liban (c'est la première fois que je dis cela).

Q. — Vous avez donc passé l'essentiel de votre vie à la tête des services de sécurité. Était-ce un choix personnel ou l'avez-vous fait à la demande de Yasser Arafat ?

R. — C'était une décision de la direction. Les Palestiniens détestent le mot *moukhabarat* (services de renseignement). On utilise le terme d'« observation révolutionnaire », qui est bien éloigné du mot « renseignement », mais les Palestiniens sont comme traumatisés par les *moukhabarat.*

Q. — Vous avez prétendu que la direction du Fatah était en désaccord avec les opérations terroristes. celles du F.P.L.P. comme celles de « Septembre noir ». Qu'a fait Yasser Arafat pour y mettre un terme ?

R. — Abou Ammar était contre ces opérations. Après chacune d'elles, un communiqué était publié pour en rejeter la responsabilité. On ne saurait dire que les organes des services de sécurité palestiniens aient réussi à eux seuls à liquider « Septembre noir » en 1974. Trois éléments ont contribué à sa disparition naturelle :

— la reconnaissance par le monde arabe de la représentativité unique de l'O.L.P.[1].

— la visite d'Arafat à l'O.N.U.[2]

— la résolution du Conseil National concernant les opérations extérieures[3].

La plupart des personnes emprisonnées après Septembre noir, ou celles qui faisaient partie de leurs amis, sont parties en Irak rejoindre Abou Nidal. Cela a marqué le début de l'organisation terroriste d'Abou Nidal.

Q. — Quels sont les éléments qui ont contribué à ce que le monde arabe reconnaisse l'O.L.P. comme unique représentant du peuple palestinien ?

R. — L'O.L.P. avait prouvé son existence par des opérations militaires, notamment pendant la guerre de 1973, et avait acquis une grande popularité.

Q. — L'année 1974 est à maints égards décisive. Comment l'O.L.P. est-elle arrivée à la formulation de son programme « par étapes », revendiquant, au terme du Conseil National de 1974, un « mini-État » palestinien sur une partie de territoire libéré, puis, au terme du Conseil National de 1977, « un mini-État » seulement ?

R. — Depuis la création du Fatah, il faut distinguer

1. Lors du sommet qui se tient à Rabat en octobre 1974,les pays arabes reconnaissant l'O.L.P. comme seul représentant légitime du peuple palestinien.

2. Yasser Arafat est invité à l'Assemblée générale des Nations Unies le 13 novembre 1974. L'O.L.P. obtient le statut d'observateur à l'O.N.U.

3. Lors du Conseil National palestinien en 1974, l'O.L.P. condamne les « actions extérieures ».

deux périodes : une période théorique, avant 1965, puis théorique et pratique en même temps, de 1965 à 1968. Lors de la création du Fatah, on a défini quel était l'objectif politique pour lequel nous luttions : c'était la récupération de la Palestine. Mais quelle Palestine ? On a dit à ce moment-là : la libération de la Palestine en général.

Au sein du mouvement, on s'est mis alors à parler d'un État national palestinien indépendant, laïc et démocratique. En 1968, nous ne pouvions pas, en raison des circonstances régionales et interarabes, en parler officiellement. Nous avons donc patienté jusqu'en 1969.

Je me rappelle fort bien que c'est en octobre 1968 seulement que la direction palestinienne m'a chargé, avec Abou Mazen, de rendre publique cette nouvelle formule. Telle a été la première étape de notre programme politique concernant l'État laïc et démocratique.

La deuxième étape date de 1972. On a commencé à discuter, à l'intérieur de nos organes, de la création d'un État palestinien sur n'importe quelle partie du territoire.

Il est important de souligner que chacune de ces étapes — 1968, 1972, 1974 — correspond à un événement politique : la défaite de 1967 nous a conduits à la déclaration sur l'État laïc et démocratique ; en 1972 et 1974, la décision de créer un État sur n'importe quel morceau de territoire a coïncidé avec la guerre d'Octobre, que l'on a considérée — à l'instar de Sadate —

comme la dernière guerre israélo-arabe dans un avenir proche.

A partir de là, nous nous sommes dit que nous devions nous montrer plus pragmatiques, plus réalistes. En 1974, on s'est mis à parler de l'État palestinien sans définir de frontières, sans indiquer les étapes ni les moyens d'y parvenir. Par exemple, on n'évoquait pas encore la réunion d'une conférence internationale, ni la reconnaissance de l'État d'Israël, ni spécifiquement de la Cisjordanie et de Gaza. Mais il existait là-dessus une résolution de notre Conseil National. Car nous n'ignorions pas qu'un État palestinien indépendant et libre, sur n'importe quelle portion de territoire libéré, sans reconnaissance d'Israël, était quelque chose d'impossible.

On a attendu quatorze ans, de 1974 à 1988, début de l'*Intifada*, pour pouvoir discuter du processus politique. En 1979, on a commencé à parler de la conférence internationale en termes généraux. Je crois personnellement que l'*Intifada* a été l'élément le plus décisif. Elle a d'ailleurs déterminé la position politique française à ce sujet.

Q. — Nayef Hawatmeh, leader du Front démocratique de Libération de la Palestine, avait alors une autre conception de l'État palestinien. Comment se passaient les discussions entre les différents mouvements au sein de l'O.L.P. ?

R. — A l'époque, il y avait beaucoup de similitude entre le F.P.L.P. du Docteur Habache et le F.D.L.P. de Hawatmeh. Ce dernier a toujours été beaucoup plus proche de nous, politiquement parlant, que le F.P.L.P. Le F.D.L.P. n'est pas moins pragmatique que le Fatah. Il est également compétent dans le domaine militaire, pas seulement dans le domaine idéologique.

Je pense que, dans les prises de décisions, le poids respectif du F.D.L.P. et du F.P.L.P. est à peu près semblable, et ce, depuis une dizaine d'années.

Plus précisément, en 1974, lorsqu'on s'est mis à parler du « programme par étapes », le F.D.L.P. était légèrement en avance sur nous. Peut-être que, vu de l'extérieur, le F.D.L.P. donnait même l'impression de se fondre dans le cadre du Fatah et de l'O.L.P. Le F.P.L.P., quant à lui, s'est trouvé hors du processus de décision palestinien de 1974 à 1979.

Q. — A partir de 1974 et de l'adoption de la ligne politique modérée par l'O.L.P., un certain changement de l'image des Palestiniens s'est produit sur la scène internationale. L'état de l'opinion et son évolution constituaient-ils pour vous une préoccupation majeure ?

R. — Nous étions convaincus de la nécessité d'établir un programme par étapes. Des solidarités internationales se sont exprimées à cette occasion. C'était évidemment important pour nous. Nos amis — la plupart des États arabes, et nos amis en Europe — ont trouvé que ce programme comportait des éléments réalistes.

Q. — Le voyage de Sadate à Jérusalem, en novembre

1977, a-t-il constitué une surprise pour le mouvement palestinien ?

R. — Oui, cela a été une surprise, car Sadate n'avait pas laissé prévoir une telle initiative. En septembre 1977, deux mois avant sa visite, je l'avais rencontré ; il était très inquiet de la situation arabe, en particulier des positions de la Syrie et de la Libye. Il était également mal à l'aise avec les Saoudiens et les responsables du Golfe, car ceux-ci ne donnaient pas d'argent. Sur le plan international, entre 1972 et 1977, Sadate attaquait systématiquement l'U.R.S.S. On sentait que le Président égyptien voulait faire quelque chose. Je me souviens qu'il me parlait de la situation du monde arabe avec violence, avec haine. Sadate, qui avait fourni au Président Ford un des éléments du cessez-le-feu et de la séparation des forces en 1973, souhaitait donner quelque chose d'analogue au Président Carter. Il m'a même demandé ce qu'il pouvait lui proposer. Hosni Moubarak qui, à l'époque, était vice-président, assistait à notre entretien.

Je suis sorti inquiet de cette conversation avec Sadate, mais sans imaginer pour autant qu'il se rendrait à Jérusalem. Mais, quand je l'ai appris, cela ne m'a pas étonné, car Sadate était impatient de nature. Il considérait que la guerre de 1973 était sa seule chance de pouvoir faire la paix dans la région, et il avait un certain complexe vis-à-vis de Nasser. Il voulait faire quelque chose qui marquerait l'histoire de l'Égypte, comme Nasser l'avait fait. Ce sont tous ces éléments qui ont sans doute poussé Sadate à se rendre à Jérusalem. Il était désespéré par les Arabes, et il considérait que l'U.R.S.S. ne pouvait rien faire : l'U.R.S.S. refusait de le doter d'un armement moderne.

Lorsque Sadate a expulsé les experts soviétiques en 1972, il n'a rien obtenu en échange. Les Soviétiques étaient satisfaits de récupérer leurs experts, mais ils n'ont pas apprécié la manière dont cela s'est fait. Sadate pensait que cet acte — l'expulsion des experts — lui serait utile auprès des Saoudiens et des Américains. Il ne voulait pas d'une guerre, mais d'un « éclat de feu », selon ses propres termes, qui donnerait l'impression d'une guerre. Compte tenu des capacités de l'armée égyptienne, il pouvait arriver jusqu'à certains passages, comme ceux du Sinaï. Mais Sadate souhaitait juste avancer sur une dizaine de kilomètres, puis s'arrêter.

Q. — Vous avez donné votre interprétation du voyage de Sadate à Jérusalem. Plus généralement, comment vos relations avec l'Égypte ont-elles commencé, et comment ont-elles évolué ensuite ?

R. — La première fois que nous avons essayé d'établir un lien officieux avec l'Égypte, c'était en 1966. Notre contact a été les Renseignements généraux. C'est Farouk Kaddoumi, accompagné d'autres personnes, qui a établi ce contact. Les Égyptiens voulaient connaître la structure du Fatah, mais nous avons refusé de la leur communiquer. Ce fut donc un échec.

La deuxième fois, le contact a eu lieu également entre Kaddoumi et Chams Badran (chef du renseignement égyptien). Cela se passait quelques jours avant la guerre de 1967.

Mais une première rencontre officielle avait déjà eu lieu entre Kaddoumi et moi-même, du côté palestinien, et Mohammed Heykal, du côté égyptien, en 1964.

En août 1968, Yasser Arafat s'est rendu au Caire ; là, les relations sont devenues vraiment officielles.

Q. — Arafat a accompagné Nasser en U.R.S.S. Comment ce voyage, très important, puisqu'il vous mettait en contact avec l'Union soviétique, a-t-il été possible ?

R. — Ce fut en effet la première discussion entre les Soviétiques et nous. Nasser, en arrivant, a dit aux Soviétiques qu'il était venu avec un représentant des Palestiniens et qu'il serait plus simple que nous discutions directement ensemble.

A cette époque, Yasser Arafat n'était pas encore président du Comité exécutif de l'O.L.P., il n'était que porte-parole du Fatah. Au cours de cette première visite, il n'a pas établi de vraies relations avec les Soviétiques. Elles se sont tissées à partir de 1970, plutôt même à partir de 1972. A l'époque, l'État ne traitait pas avec nous, c'était le rôle de la Commission de solidarité du Parti communiste ; le Parti n'est pas l'État.

Ces contacts permirent néanmoins l'ouverture d'un bureau de représentation à Moscou. Les relations se sont vraiment améliorées à partir de 1974, date du « programme par étapes ». Alors que les invitations étaient toujours lancées par la

Commission de solidarité du P.C., nous avons commencé, à chaque fois, à rencontrer Gromyko.

En 1978, les rencontres se sont déroulées entre Brejnev et Arafat.

L'époque d'Andropov a été plus difficile pour nous. Il existait un certain malentendu avec Arafat, car le responsable soviétique était un extrémiste qui voulait à tout prix contrer les intérêts américains. Or, à ce moment-là, le plan Reagan[1] avait été proposé, et nos accords avec les Jordaniens[2] avaient été signés. Yasser Arafat souhaitait conserver une certaine ouverture vis-à-vis des États-Unis, et il n'a donc pas critiqué les propositions américaines. Cela a refroidi les relations entre Arafat et Andropov. Ils ne se sont pas revus avant la mort de ce dernier.

Pendant les premières années de Gorbatchev, les relations palestino-soviétiques n'étaient pas chaleureuses non plus.

Q. — Les Soviétiques apportaient une aide très importante à la Syrie avec laquelle vous étiez en mauvais termes. Cet appui ne rendait-il pas vos relations avec eux plus difficiles ?

R. — Entre l'U.R.S.S. et la Syrie, il existait des relations d'État à État, ce qui n'était pas le cas

1. Le plan Reagan, présenté par le Président américain le 1er septembre 1982, prévoit l'autonomie de la Cisjordanie et de Gaza et, ultérieurement, l'adoption d'un statut définitif en association avec la Jordanie.

2. Accords jordano-palestiniens d'Amman de février 1985, aux termes desquels une action conjointe est convenue. Ils sont dénoncés un an plus tard.

pour nous. Nous, nous n'étions qu'un mouvement de libération nationale ; nous bénéficiions d'un soutien politique de la part de l'U.R.S.S., ainsi que d'un encadrement militaire pour les officiers.

Q. — Quels ont été vos rapports avec l'U.R.S.S. pendant les premières années de pouvoir de Gorbatchev ?

R. — Pendant la période transitoire entre Tchernenko et Gorbatchev, aucune invitation n'a été adressée à Arafat. Au cours des deux premières années de pouvoir de Gorbatchev, les deux hommes ne se sont pas rencontrés. En 1987, lors du Congrès de la Paix en Allemagne, Honecker a servi d'intermédiaire. Un an plus tard, Gorbatchev invitait Arafat en visite officielle. C'était donc en 1988.

Q. — Comment expliquez-vous cette évolution ?

R. — Les Soviétiques voulaient qu'une certaine unité nationale au sein du mouvement palestinien soit réalisée et que les accords jordano-palestiniens soient dénoncés. Lorsque ces deux obstacles ont été levés — l'unité a été réalisée avec le retour de certains groupes palestiniens lors du Conseil National d'Alger, et nous avons dénoncé nos accords avec la Jordanie[1] —, Gorbatchev a invité Arafat.

1. Au cours du 18e Conseil National palestinien qui se tient à Alger du 15 au 18 avril 1987, toutes les organisations d'opposition, à l'exception de la Saïka et du groupe d'Abou Nidal, réintègrent l'O.L.P. Au cours de cette session sont également dénoncés les accords d'Amman.

Q. — Depuis lors, vous entretenez avec l'U.R.S.S. des relations normales et qui vous satisfont ?

R. — De 1988 à aujourd'hui, oui.

Q. — Que pensez-vous de la *perestroïka* ?

R. — Le vrai père de la *perestroïka* a été Andropov. A l'époque, Gorbatchev était l'enfant gâté, le « chouchou » d'Andropov. La période de Tchernenko, de calme plat, a préparé l'arrivée d'un homme plus jeune. L'idée de la *perestroïka* est vraiment venue d'Andropov. C'est lui qui a défini cette politique. Gorbatchev n'a fait que la mettre en œuvre.

Q. — Considérez-vous que la déclaration soviéto-américaine[1] a joué un rôle important pour vous ? Elle a été la seule prise de position commune de l'U.R.S.S. et des États-Unis sur la question palestinienne.

R. — Jusqu'ici, les points de vue soviétique et américain sont restés divergents, mais peut-être qu'un jour, les deux parties arriveront à publier un communiqué commun sur les Palestiniens.

En ce qui concerne, par exemple, le dialogue israélo-palestinien, Soviétiques et Américains sont d'accord sur son principe, mais non sur la manière de le mener. Les Soviétiques soutiennent la participation directe de l'O.L.P., alors que les Américains ne veulent pas voir apparaître l'O.L.P. en tant que telle.

Q. — A partir de 1974, des négociations secrètes

1. Déclaration d'intention soviéto-américaine (Gromyko-Vance) pour la paix au Proche-Orient du 1er octobre 1977.

américano-palestiniennes ont eu lieu. Quel en est l'historique ? Comment ont-elles pu avoir lieu ?

R. — La première rencontre palestino-américaine a eu lieu avec deux membres du Comité exécutif de l'O.L.P., Khaled el Hassan[1] et Majed Abou Charar[2]. Elle s'est déroulée au Maroc, en 1974, en présence de Vernon Walters. Entre cette date et le moment où s'est instauré le dialogue américano-palestinien, il n'y a pas eu vraiment de rencontres de premier plan. Il y en avait parfois, mais avec des personnalités de second rang ou des membres du Congrès ; à ce moment-là, elles étaient annoncées et connues. Mais on ne pouvait véritablement parler de dialogue.

Q. — N'y avait-il pas de rencontres secrètes ?

R. — Directement, non. Mais le dialogue se déroulait par l'intermédiaire de différentes personnes — ambassadeurs arabes et européens — ou par différents canaux.

Q. — Quel rôle a joué la Suède dans ces pourparlers ?

R. — La Suède a joué un rôle actif avant la Conférence de Genève[3] à laquelle a participé Yasser Arafat. Mais, depuis, plus rien.

Q. — Ce sont les Américains qui ont pensé aux Suédois ?

1. Membre du Comité Central du Fatah et président de la Commission des Affaires étrangères de l'O.L.P.

2. Assassiné en 1981.

3. Le 21 décembre 1973. La Conférence n'a connu qu'une première et unique séance, sous présidence conjointe américano-soviétique, et en l'absence de la délégation syrienne.

R. — Lors de la visite d'Arafat en Suède, les Suédois ont proposé leur médiation. Ils le pouvaient, de par leurs relations avec les Américains, en particulier avec Schultz[1]. Mais, pour cela, il fallait que les Palestiniens reconnaissent les points du plan américain.

Q. — Qui a pris le relais des Suédois ?

R. — Actuellement, il n'y a que l'Égypte.

Q. — Quelles sont vos relations avec Hosni Moubarak ? Que pensez-vous de sa personnalité ?

R. — Je préfère ne pas répondre. Nous devons traiter avec la réalité du pouvoir en Égypte, et donc avec Moubarak. Mais nous ne nous aimons pas.

Q. — Une très forte campagne anti-palestinienne a été menée en Égypte après l'attentat contre le bus israélien[2]. Quelle en est, selon vous, la raison, alors que les Égyptiens sont en train de négocier avec les Américains les conditions d'un processus de paix israélo-palestinien ?

R. — Cette campagne a une valeur politique. Les Égyptiens ont voulu ainsi exercer des pressions sur les Palestiniens afin que ces derniers acceptent les conditions israélo-américaines dans l'actuel processus de paix. Concernant les initiatives de paix, nous avons accepté de discuter de celle de

1. Secrétaire d'État américain sous la présidence de Ronald Reagan.

2. En Égypte, attentat contre un car de touristes israéliens, le 4 février 1990, qui fait 10 morts et 16 blessés parmi les passagers.

Baker[1] — qui ne constitue pas un plan, mais plutôt un résumé des positions américaines actuelles. Les Égyptiens voulaient que nous acceptions ce cadre tel quel, sans entrer dans les détails. Voilà la raison politique de la campagne anti-palestinienne menée en Égypte.

Les Égyptiens n'ont arrêté personne au lendemain de cette opération ; ils n'avaient donc aucune preuve que des Palestiniens y avaient participé. Cette action a été très bien organisée. C'est pourquoi des soupçons peuvent se porter sur la Sécurité égyptienne elle-même. Certaines sources au sein même de la Sécurité égyptienne nous ont laissé entendre que cette campagne avait été montée par les services de Shamir, en collaboration avec certains Égyptiens, pour faire pression sur nous.

L'incapacité des pouvoirs publics égyptiens à arrêter les coupables nous conforte dans une telle hypothèse.

Q. — Si ce sont des Égyptiens qui ont monté l'opération, il est évident qu'ils ne pourront arrêter personne...

R. — Ce n'est pas l'État égyptien qui est ici en cause, mais certains groupes islamistes bénéficiant de sympathies en son sein. Les Égyptiens ont commencé par critiquer la déclaration de l'O.L.P.

1. Plan Baker en cinq points, qui reprend l'idée israélienne d'élections dans les Territoires occupés. Cette initiative américaine date du 10 octobre 1989, mais le plan lui-même n'a été rendu public qu'un peu plus tard.

concernant cette opération. Nous, nous l'avons officiellement condamnée, nous avons condamné cet acte terroriste. Les Égyptiens, eux, ont saisi cette occasion pour nous attaquer en considérant qu'il fallait dénoncer encore plus véhémentement cette opération...

L'attentat a eu lieu le 4 février, la campagne de propagande lancée par les Égyptiens a commencé dès le 6. Du 6 au 15, personne n'a répondu. Le 15, j'ai répliqué personnellement, car ils commençaient à exagérer. Entre le 15 et le 23, la campagne a été tout particulièrement dirigée contre moi, mais je me suis alors abstenu de répondre.

Q. — En tant que responsable des services de sécurité, savez-vous qui a perpétré l'opération ?

R. — Notre analyse nous conduit à penser qu'il s'agit de groupes islamistes qui ont de bonnes relations avec certaines personnes occupant des responsabilités au sein de l'État égyptien. Il y a quand même des points bizarres dans cette affaire ! En Égypte, c'est un service — la Sécurité centrale — qui s'occupe des touristes et de leur protection. Ceux-ci voyagent toujours à bord d'un type de bus particulier, le nombre des passagers ne dépasse jamais dix-sept, et ces bus respectent scrupuleusement les horaires. Or, dans ce cas-là, le véhicule était différent, il y avait trente-et-un passagers au lieu de dix-sept à l'intérieur, et l'horaire n'était pas tout à fait le même.

Q. — Revenons aux tentatives de dialogue. Quel rôle peut jouer l'Égypte dans les négociations, plus particulièrement celles concernant le Plan Baker ?

R. — Au début, le rôle de l'Égypte était important. Mais, par la suite, les Américains ont exploité ce canal au détriment du dialogue américano-palestinien.

Encore une fois, ne parlons pas ici de « plan », mais plutôt de « mesures ». A chaque fois, les Américains nous demandent de nouvelles concessions. La dernière est que l'O.L.P. n'apparaisse pas dans la délégation, et même que nos propositions ne soient pas exposées ! C'est cela, le principal problème, actuellement : celui de la participation de l'O.L.P. à la délégation palestinienne.

Le deuxième problème est celui des élections. Eux ne veulent aborder que ce point-là, qui est tiré du Plan Shamir, alors que nous, nous voulons que d'autres points soient traités.

Troisième problème : celui de la supervision internationale des négociations. Nous ne voulons pas de la seule présence américaine ou soviétique ; nous attendons beaucoup des Européens, et de la France en particulier. Notre intérêt est que la participation internationale soit la plus importante possible.

Q. — Pourquoi les Israéliens insistent-ils tant sur les élections dans les Territoires occupés ?

R. — Les Israéliens veulent, par le biais de ces élections, discuter avec des Palestiniens de l'intérieur uniquement d'une possible autonomie, alors que parler avec l'O.L.P. conduirait obligatoirement à aborder la question de l'État palestinien.

Q. — Vous venez d'évoquer les Palestiniens de l'intérieur. Quel rôle joue Fayçal el-Husseini[1] ?

R. — Ceci n'est à mes yeux qu'un détail. L'essentiel, ce sont les principes : qui va former la délégation ? est-ce l'O.L.P. qui va annoncer la formation de cette délégation ?

Q. — Quels contacts avez-vous eus avec les Israéliens et à quels moments ?

R. — Aucun contact officiel. Mais, depuis 1971, il existe des contacts avec des partisans de la paix. Au début, cela se passait dans le plus grand secret ; ensuite, ils ont été rendus publics. Il existe désormais des décisions du Conseil National palestinien concernant ces contacts ; il y a eu notamment une déclaration à ce sujet lors du Conseil National d'Alger. De 1974 au dernier Conseil, le mot « sioniste » a été banni du discours palestinien officiel.

Q. — Actuellement, qui est en charge du dialogue avec les Israéliens ?

R. — C'est Abou Mahzen qui est en charge du dossier.

Q. — Parlons de vos relations avec les pays arabes

1. Personnalité palestinienne de l'« intérieur » ; il a conduit ultérieurement la délégation qui a rencontré James Baker, le 12 mars 1991, lors du voyage du Secrétaire d'État américain en Israël.

et des nombreuses médiations entreprises par l'O.L.P. Quel est l'état de vos rapports avec la Libye ?

R. — Au début, les relations avec Kadhafi étaient très bonnes. Leur dégradation date de 1974. Les Libyens étaient contre le « programme par étapes », ils prônaient la libération totale de la Palestine. Au surplus, Kadhafi, en raison de l'aide qu'il accorde à certains groupes palestiniens, entendait diriger le mouvement. Je lui ait dit : « Vous cherchez une direction en location, mais cela ne se trouve pas chez nous. » Kadhafi espérait aussi que le Fatah adopterait le *Livre vert* comme programme du mouvement palestinien. Il n'en était pas question.

C'étaient les points essentiels de divergence. Par la suite, Kadhafi s'est prononcé constamment contre la ligne politique adoptée par l'O.L.P. En 1981, les relations ont été gelées. En 1983, il a donné beaucoup d'argent aux groupes dissidents ; il y a eu alors la bataille de Tripoli au Liban. Il a amélioré ses rapports avec nous en 1987, et, à ce moment-là, il a contribué à l'unité nationale en favorisant le retour de certains groupes au sein de l'Organisation. Depuis ce jour, les relations sont correctes : ni bonnes ni mauvaises.

Q. — En quoi a consisté exactement la médiation de l'O.L.P. concernant le Tchad ?

R. — L'initiative d'Abou Ammar visait seulement à arrêter la guerre et à préparer une rencontre entre Hissène Habré et Kadhafi. Mais je ne pense pas que cela ait été une réussite.

Q. — La direction palestinienne s'intéresse également beaucoup aux deux Yémen. En souhaitez-vous la réunification ?

R. — Nous ne jouons pas de rôle direct dans cette affaire, mais nous encourageons chaleureusement l'unité des deux pays. L'idée d'unité a commencé à faire son chemin, à cause de la crise économique qu'a connue Aden lors des changements intervenus sur la scène internationale et au sein des différents partis communistes dans le monde. Nous entretenons de très bonnes relations avec les deux Yémen ; des forces armées palestiniennes sont stationnées au Nord-Yémen.

Q. — Vous avez évoqué précédemment l'installation des Palestiniens au Liban au début des années 70. Cette décennie a été marquée par maintes tensions avec les Libanais, les Syriens, les Israéliens. En 1982, c'est le siège de Beyrouth. Pouvez-vous le décrire ?

R. — Sur le fond, vous connaissez cela par cœur. Vous parlez comme un livre... Je me bornerai donc à vous donner quelques détails concernant cette période. Malgré toutes les difficultés auxquelles nous devions faire face, nous arrivions très bien à communiquer entre nous, et même à nous rencontrer. Mais il est vrai que nous étions sans cesse en mouvement. Le plus dur était de trouver un endroit où dormir deux ou trois heures de temps à autre : les bombardements étaient intensifs et incessants.

Je vais vous raconter une anecdote. Une nuit,

j'étais avec l'un de mes adjoints[1], le meilleur ami d'Abou Hassan Salameh. Nous avons fini par nous installer dans une maison à demi en ruines, lui dans une pièce, moi dans une autre, par terre. Je n'arrivais pas à m'endormir ; non pas à cause du bruit des bombes, auquel j'étais habitué, mais à cause du caquettement des poules qui étaient dans la cour ! J'ai appelé mon jeune compagnon et nous sommes repartis...

Je suis resté à Beyrouth jusqu'à la fin avec Arafat. J'ai été le dernier à quitter Beyrouth.

Q. — Comment s'est déroulée la bataille de Tripoli ? Quel a été exactement le rôle des Syriens auprès des dissidents palestiniens dirigés par Abou Moussa ? Celui des Libyens ?

R. — Je suis parti avant Abou Ammar, je me suis rendu alors à Moscou et à Cuba. Abou Ammar a été expulsé avec Abou Jihad, ils étaient ensemble.

Voici comment les choses se sont passées. Au bout d'un mois de guerre interne, on a demandé aux feddayin de reculer vers Tripoli. Toute la force des Syriens était au service des dissidents. La tactique syrienne consistait à demander au Fatah, lorsqu'il occupait une place forte, de la quitter pour éviter l'affrontement avec les musulmans. Une fois cette évacuation effectuée, les Syriens donnaient la place à ces derniers. Le regroupement palestinien « légaliste » à Tripoli s'est effectué sous le contrôle d'Abou Jihad (et

1. La personne en question assiste à l'entretien.

Abou el Hul[1] au début). A ce moment-là, Abou Ammar était à l'extérieur. Fin septembre ou début octobre, je ne me rappelle pas exactement la date, Abou Ammar est parvenu à s'infiltrer et à rentrer à Tripoli. Les Syriens sont alors devenus fous furieux, ils ont mobilisé les forces palestiniennes hostiles à l'O.L.P. et les Libyens, et les bombardements ont été terribles. Le rôle de la Libye a été beaucoup moins important que celui de la Syrie, qui a tout orchestré.

La bataille a duré plus d'un mois, elle a pris fin avec l'accord intervenu grâce à l'Arabie Saoudite et à quelques autres pays arabes.

Q. — Après la bataille de Tripoli, environ dix mille Palestiniens ont été évacués par mer, notamment grâce à l'action de la France.

R. — Oui, les Français ont joué un grand rôle dans cette affaire. Les Égyptiens aussi.

Q. — Quels pays étaient susceptibles d'accueillir les Palestiniens contraints à un nouvel exil ?

R. — L'Algérie, le Yémen du Nord, le Yémen du Sud, la Tunisie, le Soudan, l'Irak.

Q. — C'est finalement à Tunis que se sont regroupés les organes de l'O.L.P. et une forte communauté palestinienne. Pourquoi avoir choisi la Tunisie ?

R. — Parce qu'il y avait là le siège de la Ligue arabe et parce que le Président Bourguiba avait

1. Hayel Abd el Hamid (Abou el Hul), membre du Comité Central, responsable des services de renseignements du Fatah. Assassiné à Tunis le 14 janvier 1991.

exprimé le souhait que la direction palestinienne s'installe à Tunis.

Q. — Considériez-vous que vous seriez plus libres et indépendants à Tunis qu'ailleurs ?

R. — Bourguiba nous a réservé un accueil très chaleureux. Jusqu'à aujourd'hui, nous avons toujours entretenu de bons rapports avec le gouvernement tunisien. A l'époque de Bourguiba, les Tunisiens ne sont jamais intervenus dans notre politique. Nous étions parfaitement libres, et c'est encore plus vrai depuis l'arrivée au pouvoir du Président Ben Ali. De notre côté, nous avons décidé de leur faciliter la tâche en évacuant en 1984 toutes nos forces militaires de Tunisie. Elles sont à présent réparties dans différents pays d'accueil. Beaucoup sont rentrées au Liban : environ 60 % d'entre elles.

Q. — Quel a été l'impact sur le gouvernement tunisien du raid israélien sur Hamman Chatt, quartier général de l'O.L.P., en octobre 1985 ?

R. — Les Tunisiens étaient bien entendu contre l'opération. Ils étaient même prêts, je crois, à rompre leurs relations diplomatiques avec les États-Unis lorsque ceux-ci ont opposé leur veto à la résolution de l'O.N.U. condamnant cette action.

Néanmoins, après 1985, le Président Bourguiba a commencé a être gêné par notre présence et à installer des barrages pour surveiller nos allées et venues. La coopération avec le gouvernement du Président Ben Ali est meilleure que celle qui existait auparavant. La présence de forces de sécurité tunisiennes est là pour nous assurer de sa solidarité et de sa sympathie.

Q. — Sont-elles là pour exercer une mission de protection ou de surveillance ?

R. — De protection.

Q. — La question de transférer le siège de l'O.L.P. dans un autre pays est-elle à l'ordre du jour ? Pourriez-vous vous installer en Égypte, par exemple ?

R. — La question n'est pas à l'ordre du jour.

Q. — L'opération de l'*Achille Lauro*[1] est intervenue en 1985, à un moment où l'O.L.P. avait depuis longtemps condamné les opérations terroristes. Aboul Abbas en fut-il vraiment le seul responsable ?

R. — La force 17[2] n'était pas présente dans cette opération. Elle a été le fait du groupe d'Aboul Abbas. L'objectif était d'aller jusqu'au port d'Ashod[3], mais le commando a pris peur et la tournure des événements a été différente des instructions données par Aboul Abbas, qui ne voulait pas que le bateau soit pris en otage.

Q. — Quel était exactement son objectif initial ?

R. — L'objectif était d'arriver à Ashod, de prendre des otages, peut-être, et de lancer une opération, mais sur les Territoires.

Au moment où les membres du commando ont

1. Le 7 octobre 1985, un bateau de croisière italien, l'*Achille Lauro*, est détourné. Un touriste américain est tué par le commando.
2. La « force 17 » est la branche militaire du Fatah.
3. Sur les côtes israéliennes.

sorti leurs armes, ils ont été remarqués par quelqu'un, et c'est alors qu'ils ont décidé d'agir autrement que prévu.

Q. — Pourquoi Aboul Abbas a-t-il mené cette action ?

R. — Cela, il faut le lui demander. Moi, je fais une analyse de l'extérieur. Mais je suis persuadé que l'histoire des otages n'était pas prévue.

Q. — Où en est aujourd'hui l'organisation d'Abou Nidal ?

R. — Certains éléments importants de son organisation sont partis. Le mouvement est donc affaibli. Il a aussi besoin d'un endroit où être à l'abri, et besoin d'argent.

Q. — Parlons à présent des Territoires occupés. L'*Intifada*, qui a commencé en 1987, a marqué un tournant dans l'histoire palestinienne. Elle n'a pas faibli, en dépit de la répression israélienne. Pour l'ensemble des observateurs, ce soulèvement, d'une ampleur inégalée, a constitué une surprise. Comment l'expliquez-vous ? Pourquoi a-t-il eu lieu à ce moment-là ?

R. — C'est une coalition d'organisations palestiniennes de l'intérieur, dont la direction se trouve à l'extérieur, qui est à l'origine de ce mouvement. Les préparatifs ont commencé en 1983 et 1984. C'est pour cela qu'un corps organisationnel existe. Pourquoi cette date ? En raison de la pression israélienne dans les Territoires occupés, qui a atteint un degré insupportable pour les habitants. Même la direction de l'*Intifada* n'avait pas imaginé une réaction aussi positive des masses à ses côtés.

La grande surprise de ce mouvement — alors que de petits soulèvements existaient déjà auparavant — a été cette réaction des masses, ce très fort mouvement populaire. C'est cela qui a étonné la direction locale et, indirectement, la direction extérieure.

Q. — En quoi a consisté la préparation de l'*Intifada* en 1983-84 ?

R. — L'aspect le plus important a été la création, dans les quartiers, des comités populaires, et l'organisation de nombreux services — enseignement, santé, communications — pour la population. La direction de l'intérieur n'avait pas choisi de date précise, mais tout était organisé. Et cela continue : après l'accident de Gaza[1], au cours des funérailles, des manifestations violentes ont éclaté. Il y a eu distribution de tracts de la part de la direction unifiée de l'*Intifada*.

Les Israéliens sont exaspérés car, en dépit de l'arrestation de plusieurs dizaines de milliers de personnes — environ cinquante mille —, ils n'arrivent pas à atteindre la direction. Le système des cellules ne permet pas d'arriver jusqu'aux organisateurs, et ceux-ci changent fréquemment d'endroit.

Q. — A l'origine, l'idée était-elle tout de même d'organiser un soulèvement de masse ?

R. — La réaction de la population dans son ensemble a largement dépassé nos prévisions.

1. En mai 1990, sept ouvriers palestiniens sont tués à bout portant par un Israélien ; un huitième est blessé.

Q. — La liaison entre l'intérieur et la direction en exil était bien assurée par Abou Jihad ?

R. — Oui, Abou Jihad était le responsable directement en charge des Territoires occupés. Les communications étaient permanentes entre l'intérieur et l'extérieur.

Q. — Qui a remplacé Abou Jihad après son assassinat à Tunis en 1988 ?

R. — C'est un comité. Mais ce comité existait déjà à l'époque d'Abou Jihad.

Q. — Ce soulèvement, dit « révolte des pierres », peut-il durer longtemps encore dans sa forme actuelle ? La population ne risque-t-elle pas de réclamer des armes ? Si c'était le cas, que feriez-vous ?

R. — Il existe des pressions pour que des actions militaires soient menées parallèlement à l'*Intifada*, mais les masses ne veulent pas pour l'instant utiliser d'armes.

Q. — Pensez-vous que l'*Intifada* ait eu quelque impact sur ce qui s'est passé dans les pays de l'Est ? Un tel phénomène pourrait-il se propager dans les pays arabes ?

R. — Cet impact a été sensible dans les pays de l'Est, de par le « style » du soulèvement. Dans le monde arabe, des mouvements en Jordanie et au Koweit peuvent s'en être inspirés, mais dans une moindre mesure. Les changements qu'ont connus les pays de l'Est ne sont pas encore arrivés jusqu'aux pays arabes... Il est difficile de prévoir si une évolution démocratique va se produire prochainement ou non. Personnellement, je pense que ce moment n'est pas si lointain.

Q. — Quelles seraient les conséquences pour l'O.L.P. si les gouvernements arabes venaient à changer ?

R. — Attendons que ces changements arrivent, on verra à ce moment-là.

Q. — Les relations syro-palestiniennes ont toujours été difficiles, surtout depuis 1982-83. Dans quelle mesure peut-on parler aujourd'hui d'un rapprochement avec la Syrie ?

R. — Les choses vont lentement dans la forme.

Q. — La reprise des relations entre l'Égypte et la Syrie a-t-elle été un élément du rapprochement palestino-syrien ?

R. — Notre dialogue avec la Syrie lui est antérieur. Cela n'a rien à voir et a peut-être même ralenti les choses : nous ne voulions pas donner l'impression d'emboîter le pas à l'Égypte.

Q. — Quelles relations entretenaient l'O.L.P. et l'Irak, d'une part, l'O.L.P. et l'Iran, de l'autre, durant la guerre irako-iranienne ?

R. — Nous avons essayé d'éviter cette guerre par le biais de médiations. Lorsqu'elle a éclaté, nous avons déployé tous nos efforts pour éviter qu'elle ne se prolonge, mais les Iraniens ont refusé notre offre et ils nous ont placés devant un choix « religieux » : ou nous étions avec les bons, ou nous étions avec les mauvais. Ensuite, lorsque nous avons condamné leurs tueries, ils s'en sont pris à nous et nous avons choisi alors de soutenir l'Irak. Cela, pour plusieurs raisons :

— l'Irak est un pays arabe ;

— la propagande iranienne relève d'un chauvinisme, d'un extrémisme, d'un nationalisme dont le monde arabe n'a nul besoin.

Q. — L'Iran a également refusé la médiation de l'O.L.P. lors de l'encerclement de l'ambassade de France, il y a deux ans[1].

R. — Oui. Dès 1982, l'Iran a refusé de traiter avec nous et traite au contraire avec nos ennemis.

Q. — Quelles relations y a-t-il entre les mouvements islamistes palestiniens et l'Iran ?

R. — Un de ces mouvements entretient de bonnes relations avec l'Iran. Il s'agit du Jihad islamique. Ce n'est pas le cas de Hamas, qui n'a pas de relations avec Téhéran.

Q. — Comment considérez-vous le mouvement Hamas, qui s'est développé dans les Territoires occupés, peut-être à la faveur de l'*Intifada* ?

R. — Je pense que l'importance de Hamas sur le terrain est moindre que celle que lui accordent les médias, mais ce mouvement peut prendre de l'ampleur si des solutions ne se dessinent pas. Lorsqu'il n'y a pas de perspectives de solution, on va vers les extrêmes : c'est là un processus classique.

Q. — Ce mouvement est-il ou non contrôlé par la direction de l'O.L.P. ?

R. — Il est indépendant, mais il existe tout de même une certaine coordination avec lui. Les Israéliens laissent une plus grande marge de liberté à Hamas

1. En juillet 1987, l'ambassade de France à Téhéran est encerclée par les Iraniens.

qu'aux autres mouvements. Dans les prisons, par exemple, sur trente mille prisonniers, cent cinquante seulement appartiennent au mouvement Hamas, dix à quinze mille au Fatah, et le reste aux autres organisations.

Hamas n'a jamais recouru à des slogans appelant à la lutte armée, que ce soit avant l'*Intifada* ou après son déclenchement. En revanche, une de ses revendications essentielles est la destruction de l'État d'Israël. Ce sont là des mots d'ordre irréalistes, mais qui touchent une partie de la population sur le plan passionnel. Il s'agit d'un phénomène de fuite en avant pour eux qui n'ont pas d'autres issues. De surcroît, Hamas considère que toute personne qui va prier à la mosquée est un sympathisant...

Q. — Quelles relations entretenez-vous avec le Hezbollah au Liban ?

R. — Elles ne sont pas très bonnes ; surtout, elles dépendent bien sûr de celles que nous avons avec Téhéran. Mais, à titre personnel, il y a quelques contacts, car certains membres du Hezbollah sont des anciens du Fatah.

Q. — Est-il vrai que le Hezbollah jouit d'une certaine autonomie par rapport à l'Iran ?

R. — Non, sa marge d'autonomie est très faible.

Q. — Comment expliquez-vous l'audience non négligeable du Hezbollah, financé entièrement par l'Iran, notamment au Sud-Liban ? Est-ce en raison de son action sociale qui attire à lui une partie de la population ?

R. — Je ne crois pas qu'il y ait beaucoup de services

sociaux du Hezbollah au Liban ! Mais ses propres membres sont bien traités, bien rémunérés.

Q. — Quel a été le rôle de l'O.L.P. dans les différentes affaires d'otages au Liban ?

R. — On n'a pas joué un rôle très important, car cela dépendait essentiellement de nos relations avec Téhéran. Nous avons cependant réussi à obtenir certaines libérations, comme celles de Français, de Soviétiques qui étaient entre les mains du Hezbollah. Nous avons incité le Hezbollah à traiter avec la France. Nous avons encouragé le dialogue, mais le Hezbollah souhaite en général avoir un contact direct avec les parties concernées plutôt que de passer par des intermédiaires.

Q. — Un gros problème se pose aujourd'hui avec la forte immigration de Juifs soviétiques en Israël. Pensez-vous pouvoir le résoudre ?

R. — L'U.R.S.S. traverse actuellement une crise interne. C'est la raison pour laquelle il lui est difficile de prendre une décision ; ce n'est donc pas le moment de dialoguer avec elle sur ce sujet.

REMERCIEMENTS

Je remercie Yasser Arafat pour les longues heures d'entretiens qu'il m'a consacrées et la bienveillance qu'il a manifestée à mon égard pendant toute la durée de ce travail qui s'est déroulé, grâce à lui, dans un climat de confiance.

Toute ma gratitude à Abou Iyad, à titre posthume, et à Oum Jihad. Je les ai longuement interrogés et ils se sont prêtés avec une grande courtoisie à mes sollicitations.

Je remercie les dirigeants palestiniens de Tunis, notamment Khaled El Hassan et Ahmed Abderrahmane, Bassam Abou Charif et Salmane Al Erfi, le représentant de l'O.L.P. à Tunis Hakam Balaoui et son assistant Jamal Sassi, ainsi que le directeur de cabinet du Président, Samy Sallam.

Mes remerciements aussi à Ibrahim Souss, représentant de l'O.L.P. à Paris ; il m'a mise en contact avec Soah Tawill, précieuse organisatrice de plusieurs de mes rendez-vous avec Yasser Arafat, tout comme Raymonda Tawill, Hallah, Raïda et Khaled Sallam, dont j'ai apprécié l'efficacité lors de mon dernier voyage à Tunis.

Je suis reconnaissante aussi à Fathi Darwish d'avoir

relu le manuscrit des interviews de Yasser Arafat en français, à Marouane Kanafani d'avoir traduit l'une d'elles à laquelle il assistait, à Moawad d'avoir été l'interprète des propos d'Abou Iyad. Je remercie Dominique, Ali Hussein, Jeanine, Monia, Nadia, Rima, Lily et tous ceux qui, dans l'entourage de Yasser Arafat, ont facilité certaines de mes démarches : Khaled, Nasmi, Hussein et les autres photographes du bureau du Président, et très amicalement Fathi.

Merci aussi à Bernard Venzo et Issa Maraut.

Je remercie enfin Agnès Levallois pour la recherche documentaire et très cordialement Éric Sarner dont l'intervention est venue à point nommé, Jean-Pierre et Philippe.

Je n'aurais pu mener à bien cette entreprise sans l'immense dévouement de Hassan et sans celui de mon amie Anne, qui a bien voulu en frapper les innombrables versions successives et me suivre jusqu'à Tunis, en ce mois de mars 1991, dans la hâte du « dernier quart d'heure ».

Je tiens à saluer le rôle qu'a joué Claude Durand, mon éditeur, et à lui exprimer ma reconnaissance pour son amicale compréhension.

Mon infinie gratitude, encore et toujours, à Albert Ollivier, sans qui ce livre n'aurait pu être écrit.

N. B.-O.

Index des noms cités

TABLE

ENTRETIENS AVEC YASSER ARAFAT

ANNEXES

Composition réalisée par C.M.L., Montrouge
Achevé d'imprimer en avril 1991
sur presse CAMERON
dans les ateliers de la S.E.P.C.
à Saint-Amand-Montrond (Cher)
pour le compte de la librairie Arthème Fayard
75, rue des Saints-Pères – 75006 Paris

Dépôt légal : avril 1991.
N° d'Édition : 3114. N° d'Impression : 987.

35-57-8530-01

ISBN 2-213-02759-5

Imprimé en France